長尾先生、「近藤誠理論」のどこが間違っているのですか?

絶対に後悔しないがん治療

長尾和宏

ブックマン社

第一章

マンガ「ハーメルンの笛吹き男」

ときは
1284年
ドイツ――
ウェザー川が
流れる
ハーメルンの町では
誰もが幸せに
暮らしていました

農場には
多くの家畜
農作物は
豊作が続き
市場には毎日
焼き立てのパンや
とれたての果物が
溢れんばかりに
並べられていました

この何不自由ない生活には終わりがないと
ワイ
ワイ
町の誰もが思っていました
ワイ
ちょうどあの日がくるまでは……
きゃあああああああああ！

ねずみよ ねずみ！ 私の大嫌いな ねずみ！
あなた 早く 追っ払って ちょうだい！
キャアアアアッ
大丈夫か
しっし
出て行け 不潔な ねずみども
バババッ
どこから 入って きたんだ！
お気に 入りの お皿が…
きゃあ――！
ねずみよ――！
キャアアアッ

ギャアア
ババ
ジ
また出たかこの！
キャアア
ママベッドにネズミが・・・
助けてママ！
そこか！
アアアア
大変だネズミが家畜の餌を食い尽くしてしまった！
このままじゃ牛も羊も全滅だ！
アア
うちの小麦も全部食べられたわ！
これじゃ食糧が何もなくなるわ！
キャアアア
きゃあ道に不潔の大群よ！
外には出るな！
アイツら入ってくるぞ！
扉をしめろ！
アーッ

それからすぐ
町はねずみで
溢れ
チュー
チュー
チュー
チュー
チュー
チュー
チュー
チュー
ほどなくして
通りには
人の影が消えて
しまいました

チュー
チュー
そんなある日
チュー
ハーメルンの町に華やかな服を着た一人の男が現れこう言いました
私に山ほどの礼を約束してくれるのなら
このハーメルンの町からすべてのネズミを追い出してみせよう

ザワッ
今なんと…？
この男の申し出に町の人々は歓喜し
町長は男にたんまりのお礼を約束しました
ワアアアアッ

夜が明けると
男はまた
ハーメルンに
やってきて
一度も聞いた
ことのない音を
笛で吹きながら
町中をくまなく
歩きまわりました
行け！
しっし
チュー
チュー
家の中
倉庫の中
納屋の中
教会の中
家畜小屋の中から
男の笛の音色に
つられて
おびただしい数の
ねずみが男の後に
ついていき
チュー
一匹残らず
ハーメルンから
いなくなり―
チュー
チュー

そのまま
ヴェーザー川に
飛び込ませ
バシャ
バシャ
バシャ
バシャ
一匹残らず
溺れ死に
させました
人々は
安心し
ワアアアアッ
その日のうちに
町には活気が
戻りました
ところが
穏やかでないのは
たくさんのお礼を
約束してしまった
町長
あいつはただ
笛を吹いた
だけじゃないか
たった
それだけのことに
町のみんなの黄金を
渡すなどばかげてる！
払わん！
そう
しましょう
町長
ギリッ

するとその数日後再び男が現れて—
笛の音色を聞いた子供たちがまるでねずみのように家という家から出てきては男の後をついていきました
信仰深い町の人々が教会で祈りを捧げている間に
神よ日々の恵みに感謝します
私たちと私たちの子供たちを祝福してください
男は町中のすべての子供を連れて
町の門から出ていきました

それから男は山の中へ向かっていくと
子供たちもろとも姿を消しました
しかし赤ちゃんを抱っこしていたために男に追いつけなかった1人の子が途中で町に戻り
どこにいた？
他の子たちはどこだ？
さらにあと2人の子も町へ戻ってきたのですが
一人は目の見えない子話ができても山のどこへ連れていかれたか話せず
もう一人は口がきけない子山の位置を指させても何が起きたか話せませんでした

すべての親は
町をとび出し
山へ子供たちを
探しにいきました
おーい
おーい
おーい
山の中では
多くの親たちの
叫び声と泣き声が
いつまでも
轟きました
うわあぁ
おおお
わあぁ
ああ
それから
国中の使いも
至る所で
子供たちを探しに
まわりましたが

消えた130人の子供たちが姿を現すことは二度とありませんでした
それから男が笛を吹いた町の通りでは一切の音楽が禁止
結婚式をあげたての新郎新婦とそれを祝う笛吹きや太鼓たたきもその通りでは音楽を止めるようになったため
『たたかずの太鼓の道』と呼ばれるようになりました

さて、このストーリーの一部を
現代の医療に置き換えてみましょう。
あくまでこれは、おとぎ話です。

1980年代
この国の
乳がん患者は
急増をし
まるごと
切り取られた
おっぱいと
後遺症に苦しむ
女性の涙で
溢れていました

チューー
チューー
そんなある日
チューー
信濃町のとある大病院にいた若き医者が現れてこう言いました
アメリカではもう乳房全摘手術はメジャーではない日本のがん治療は間違っている！
私が乳房温存手術を広めておっぱいを取られて嘆き悲しむ女性をなくしてみせよう

ザワッ
今なんと…？
この男の提案に医療界は冷ややかな視線を送りましたが
悩める患者たちはこの男の言うことに従ってみることにしました
ワアアアッ

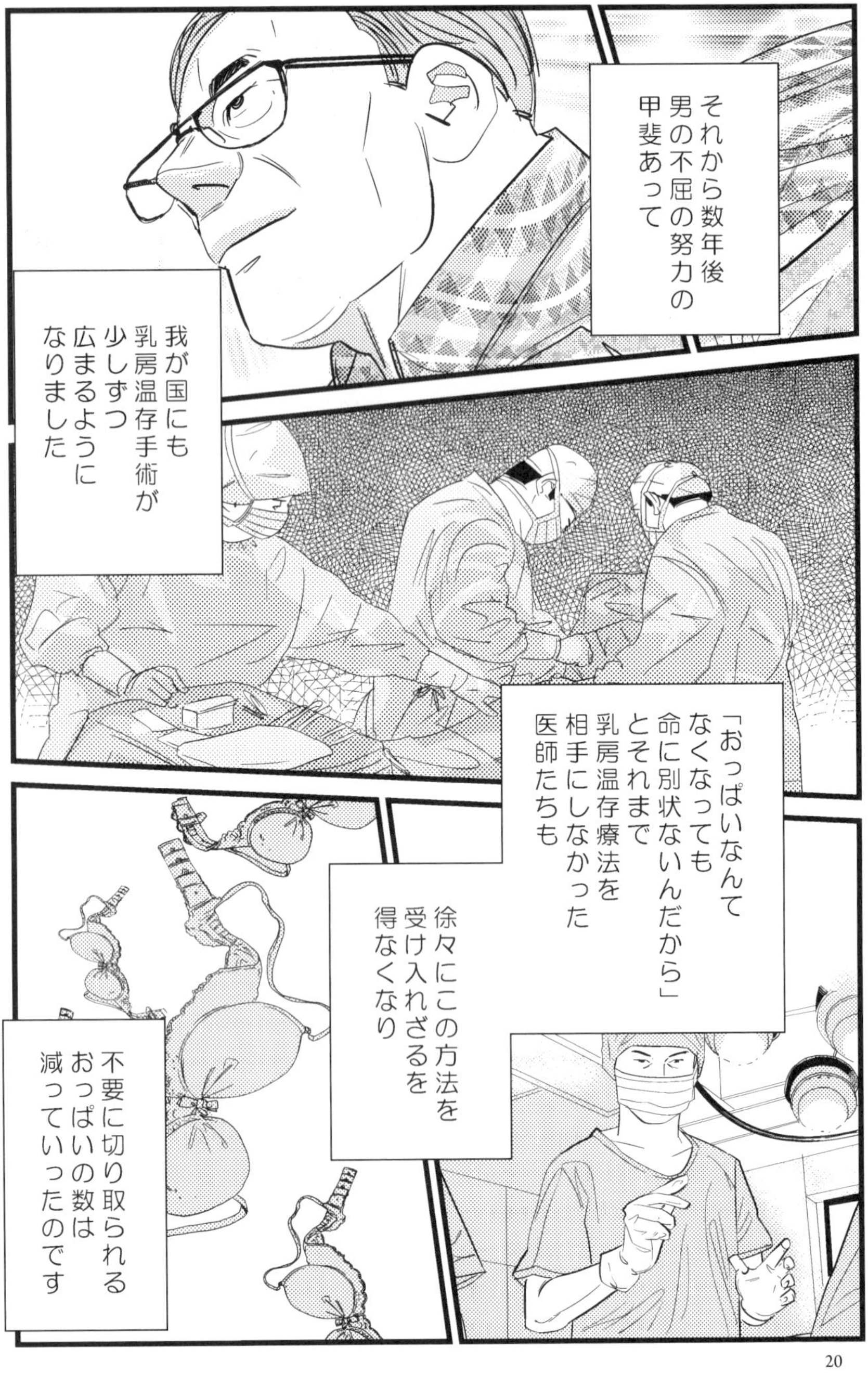
それから数年後
男の不屈の努力の
甲斐あって
我が国にも
乳房温存手術が
少しずつ
広まるように
なりました
「おっぱいなんて
なくなっても
命に別状ないんだから」
とそれまで
乳房温存療法を
相手にしなかった
医師たちも
徐々にこの方法を
受け入れざるを
得なくなり
不要に切り取られる
おっぱいの数は
減っていったのです

1990年代には4割の人が
最近では7割以上の人が乳房温存手術の恩恵にあずかるようになりました
しかし医療者たちは
乳がん手術に革命を起こした男の存在をそれほど賞賛しようとはしませんでした
むしろ男のことを面倒くさい存在として考える医療者たちもいたということです
ギリ
たったそれだけのことでヒーロー扱いするなぞバカげている！
あいつはただ欧米の手術法を紹介したに過ぎない
放っておきましょうよ先生

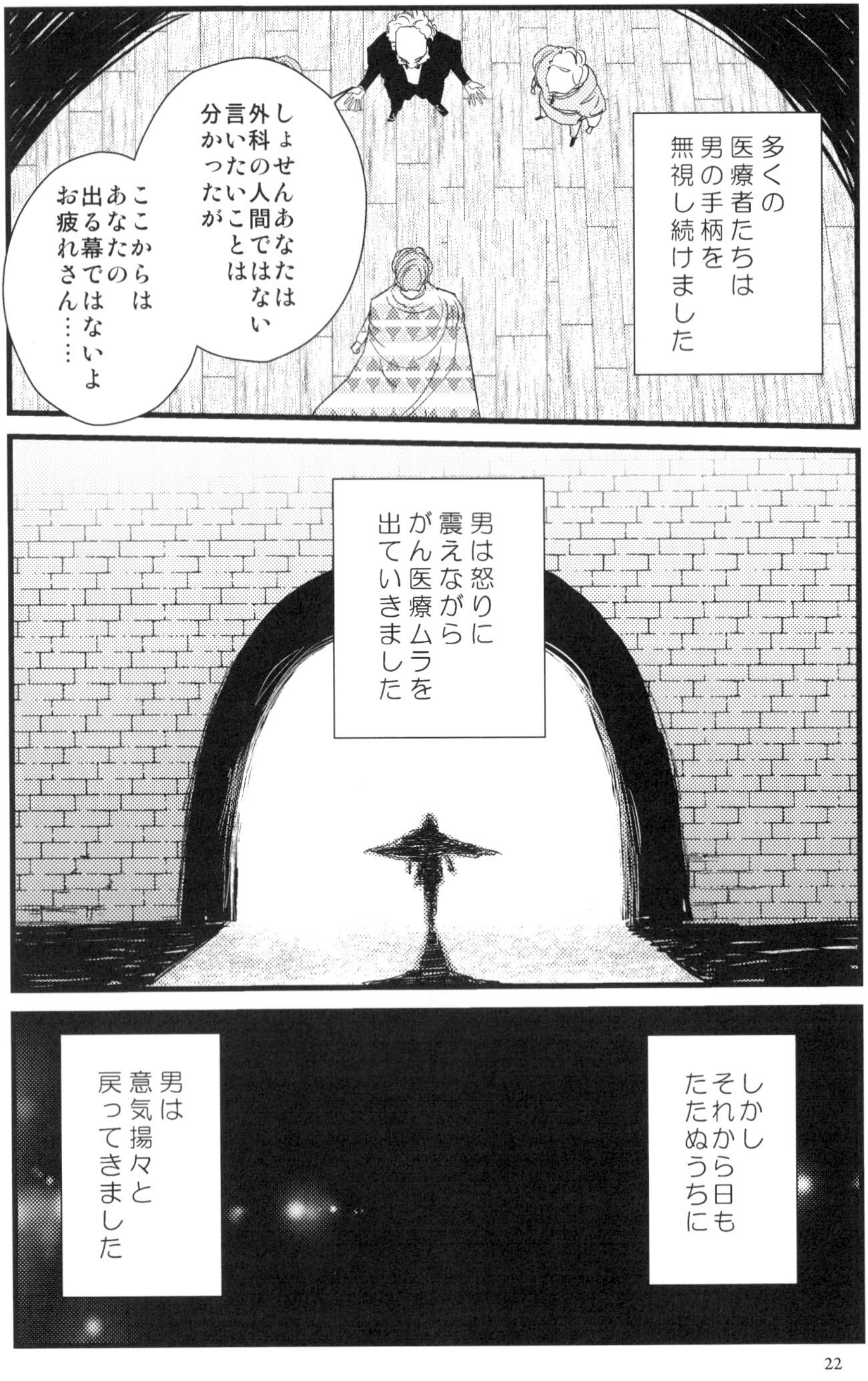
多くの医療者たちは男の手柄を無視し続けました
しょせんあなたは外科の人間ではない言いたいことは分かったがここからはあなたの出る幕ではないよお疲れさん……
男は怒りに震えながらがん医療ムラを出ていきました
しかしそれから日もたたぬうちに
男は意気揚々と戻ってきました

今度はペンという武器を持って
クールな表情からは怒りに満ちた眼がぎらりと光っていました
男は仕事仲間たちからも「村八分」になる覚悟を持って
乳がんは切らずに治る——勝手に乳房を切り取るのは外科医の犯罪行為だという自説を一般雑誌に書き始めました

すると どうしたことか
その記事を見た たくさんの雑誌の記者や 出版社の人間たちが もっと今の医療の 問題点について 書いてほしいと願い
執筆依頼が 殺到するように なります
医療者たちが 「素人たちを相手にして」 と小馬鹿に しているあいだに
『患者よ、がんと闘うな』 という本は ありますか？
ただ今 売り切れて しまいました
[redacted]書店
男の本は あれよあれよ という間に
国民から 多くの支持を 得はじめたのです
患者よ、ガンと闘うな 近藤誠

それから男はさらに過激な医療否定の笛を吹き始め
『がんが見つかっても何もしない』という選択をする人が現れるようになりました
途中で男の論理についていけずにやっぱり手術や抗がん剤をやりたいと考え直す人も何人かいましたが
どこにいた？
他の女性たちはどこだ？
「残念ながらもう手遅れです」と言われ悔やんだまま亡くなる人も…
もう少し早く来てくれていたら…
それでも医療者たちは彼を異端者扱いし続け「相手にしないのが一番」と言うのです
そして男は今日もセカンドオピニオン外来と称して30分3万円で『手術も抗がん剤も無意味なのでやめなさい』と同じセリフを言い続けています

本書を書く理由

どうして「近藤誠本」が売れ続けるのか？

元・慶応大学の近藤誠氏の著書が医療界の大反発にもかかわらず売れ続けている。先日、同じ週刊誌のなかに近藤誠氏を絶賛する記事の次にがんと闘病して乗り越えた記事が出ていて驚いた。多くの読者は戸惑ったに違いない。がんと闘うのか、闘わないのか？　一体どっちやねん!?

〈がんもどき理論〉が発表されてはや20年あまり。最近は〝医者に殺される〟や〝がん放置療法〟という過激なタイトルの本が出版される毎に揃って売れ続けている。現在のがん医療のみならず、医療そのものをほぼ全否定する近藤氏の主張に対して書籍で反論する医療者はほとんどいなかった。そんな状況のなか、僕は2013年に近藤誠氏の主張の一部に異を唱える本を書き、一定の支持を得た。

しかし極論に対する反論が医療界からあまり出ない現状を、多くの市民はどう受け止めているのだろうか？　反論があまり出ないということは、医療界もほぼ近藤誠理論を黙認した、と判断した市民やマスコミが多いようだ。一方、どこが間違っているのか詳しく教えてほしいという質問をマスコミからよく受ける。

近藤氏の一連の主張の出発点は、現代のがん医療への「怒り」であったことは間違いないであろう。彼の患者さんを思う気持ちはよくわかる。なぜなら僕も、さまざまな本を書くことの根源は現代医療への「怒り」であるからだ。死ぬ寸前まで強い抗がん剤治療をされて泣いている患者さんや家族を、在宅医として日々目の当たりにしている。阪神淡路大震災の年に開業して20年、**過剰医療への「怒り」**が僕を常に突き動かしてきた。

患者さん側が、ある治療法の是非を判断する際、その方法を勧める医者が有名かどうか、本を書いているかどうかがひとつの指針となっているのは間違いない。だけど今どき、「本を書いているからこのお医者様を信じよう!」なんて思うと必ず騙されると思っていたほうがいい。僕がいうのもヘンな話だが、本なんて、どんなインチキ医者だって出版できる時代なのだ。それでもって、出版大不況が続くなか、揺るがぬ信念を持って本を作っている出版社なんて、もはや絶滅種だろう。信念だけじゃもうメシが食えないから仕方ないけれど、中国や韓国へのナショナリズムという名の悪口も、原発反対派への非現実的という批判の影に蠢く既得権益も、医療へのそれも同じ地平で1冊の本としてパッケージされているような気がして、書店の新刊台を覗くたびに違和感を覚えるのは僕だけではないだろう。

人間というのは、平和であればあるほど悪口に飢える生き物なのだ。自分は安全地帯に身を置きながら、誰かが自分の変わりに他者を攻撃してくれるとスーッとするらしい。わからないわけではない。そこに書いてあることが本当に正しいかどうかを検証する前に、自分が感じていた不平不満が活字になっていれば、なんだか胸のつかえがおりる。巨大な何かに立ち向かおうとする著者が正義のヒーローに見えることがある。

そこに見事に嵌《はま》った男が、近藤誠氏なのだと思う。

先述した通り、近藤誠氏の出発点は、現代医療に対する「怒り」であったはず。だから、ある時期まで近藤誠氏の主張に耳を傾けていた。彼の最初の代表作『患者よ、がんと闘うな！』は、当時、勤務医として最期の最期まで患者さんに抗がん剤を打っていた僕にとって、徐々に抱き始めていたがん治療への疑問を〝誤りである〟という確信に変え、下町の町医者としての再スタートの背中を押してくれた一冊であった。

あれから20年。近藤誠氏のここ数年の極論、暴論には、首をかしげる点が多くなった。「怒り」で出発した男は、いつの間にか「怒り」を、自分の言説を認めなかった医療者たちへのルサンチマンへと変容させて、呪《まじな》いのような医療否定を繰り返すようになった。日ごろより現代医療に疑問を持っていた市民たちを、間違った価値観の闇へと誘ったという側面がある。つまりいまや、**「近藤誠本」の被害者が全国各地で出ているのだ。**

具体的には、**まだ若く、充分に完治可能な状態なのに、がん治療を一切拒否する患者さんが増えている。助かる命のために医療があるのだが、その恩恵に預かる患者の権利を奪っている。**また本当に必要な薬を自己判断で一切やめて命を落とした患者さんがいる。患者さんご自身が考えに考え抜いて、人生に悔いなしとして出した結論ならば、それでもまあ、仕方ないのかもしれない。そうではなくて「近藤誠という慶応大学の偉い先生がそう言っていた」という理由だけで、間違った治療の選択をしている人が僕の周囲にもいるが、まさに極論本の被害者であると言えよう。

まるで彼は、ハーメルンの笛吹き男じゃないか！

それが冒頭の漫画である。ハーメルンの笛吹き男はグリム童話とされているが、どうやら本当にあった話らしい。ドイツのハーメルン市に残る記録によれば、この笛吹き男が来た日付を、1284年6月28日の朝、と記述している。一体何が起きたのか、この民間伝承は現代を生きる我々に何を警告しているのか……想像すると肌が粟立つ。

医者仲間と飲んでいたあるとき、「近藤誠氏は、ハーメルンの笛吹き男にそっくりだ」と話すと、仲間はポカンとし「おいおい長尾、もう近藤誠なんか相手にするのはやめとけや。あいつはただの変人やから、放っておくのが一番やろが。もしおまえが書くんやったら、それこそ〝近藤誠放置療法のすすめ〟やろうが！」と嗤《わら》われた。「同じ土俵に上がったら、お前もトンデモ医だと思われるぞ！」と忠告してくれた医者もいた。確かに僕は、おっちょこちょいの物好きだ。おまけに言わなくていいことまで言ってしまうこともあり、とんでもなくアホで不器用な人間やと思う。だけど患者さんのためなら、いくらでもアホになってやる！　と心のどこかで思っている自分もいて、この数年、30冊を超える書籍やブログなどで発信してきた。

がん医療の始めと終わりを診ている医師の一人として、「近藤誠理論」の誤った部分を僕は放置できない。そして僕を嗤う一方、近藤誠氏を「変人」や「トンデモ」の一言で片づける医者たちには、こう言いたい。

「それじゃあ、誰が近藤誠氏をハーメルンの笛吹き男にしたと思うかい？」

僕は性善説も性悪説も信じない。

あの怪獣ゴジラが、科学者たちがしでかした放射能汚染事故によって生まれてしまったように、ハーメルンの笛吹き男が笛を吹いたのには、何らかの理由があるはずだ。世の中に生まれた〝モンスター〟にはそれぞれ、モンスターになってしまう環境要因が働いている。それでは**近藤誠氏を一部の患者さんにとってトンデモ医師に成長させたのは、一体誰なのか？**

そんな想いで『医療否定本に殺されないための48の真実』（扶桑社刊）という本を書いた。あれから2年が経って、他にも何人かの医師が近藤誠氏への鋭い反論本を出している。しかし笛は一向に鳴りやまない。**いくら医療者が黙殺し続けても、トンデモな音色の笛が日本から鳴りやまないのには、現代医療のほうにも相当な問題があるからではないだろうか？**

医療者の皆さん、それでも近藤誠理論は放置で本当にいいのでしょうか？

逆にそんな質問もしてみたくもなる。近藤誠氏の著書の内容について個別に論じていくと、実は、現代医療の問題点も同時にたくさん炙り出される。そして、彼の言説を十把一絡げにして正か誤かの二元論で片付けてしまうのは、医療の進歩にはつながらない。**近藤誠理論には、実は、概ね正しいところと、明らかに間違っているところ、そして未知の所が混在しているからだ。**彼の書籍が多くの支持を得ている理由のひとつも、そこにあるのだろう。

こうした〝近藤誠現象〟の裏には、現代医療が抱えるさまざまな矛盾が怨念のように渦巻いている。だから〝近藤誠理論〟と〝近藤誠現象〟を分けて考えることが大切だと考える。

尚、僕が申し上げている〝近藤誠理論〟とは、〈がんもどき理論〉に基づいた、

〝がん放置療法〟のことを中心にしている。そこを基軸として、本書では、近藤誠氏の言説のひとつひとつに○、×、△とできるだけ明快に答えてみたい。
本書は、近藤誠理論を信じる人にも信じてない人にも、よく知らない人にもぜひ読んでほしい。日本人の2人に1人ががんになり、3人に1人ががんで死ぬ。がんは我が国ではもっともありふれた病気で、国民病である。だから間違った箇所は放置できないのだ。物好きな医者だと、嗤ってくれてもかまわない。しかしこれが僕の、近藤誠理論への「最終結論」としたい。

2015年夏　長尾和宏

目次

第二章

「私は、手術も抗がん剤もしたくありません。近藤誠さんの本を読んだからです。間違っていますか？」

やっぱり、と思った。私の人生って所詮こんなもの、頭のなかでもうひとりの自分がそう言っている。Aがんセンターで肺がんと診断された。非小細胞肺がんのステージⅡA。皮肉にも、父親の命を奪ったのと同じがんだ。人間ドックで見つかった。私は自由業の身なので定期的な健診は受けておらず、たまには受けてみるか、と思っただけのことだ。でも今思えば、どこかで予感はしていたと思う。予感していたから、7万円も自腹を切って人間ドックを受けたのだ。

担当医師は、レントゲンを見ながら、すぐに手術をするべきですと有無を言わせぬ口調で断言した。ご家族に説明したいと言われたが、家族はもういませんと答えた。母も父もがんで亡くなりました、家族の看病に明け暮れて、結婚するタイミングも失いました。そうそう父はこの病院で死んだのですよ、私と同じ肺がんで、と言ったら、担当医は芝居がかった顔で無言のまま眉をひそめ、そのまま電子カルテに視線を落とし、目を合わせてはくれなかった。とにかく一週間以内に手術の日程を決めてくださいとだけ言われて、いわゆる「がん告知」の儀式は終わった。

私は48歳、フリーライター。独身。家族は熱帯魚と亀一匹。たったひとりの妹は、仙台に嫁いだ。妹は子育てとお受験準備に忙しくて、ここ2年ほど会っていない。ときどき東京に遊びに来ているようだが、この頃はメールもよこさない。そんな妹に相談しても噛み合わないのは目に見えている。独り身の姉ががんだと伝えたところで、戸惑うだけであろう。姉の私といえば、週刊誌や女性誌を中心に、グルメや健康情報の取材をしている。最近は一般誌でもやたらと医療記事が増えてきたので、ドクターの取材も年に何回かある。

あれはもう8年も前になるだろうか。父が死んだあと、がんの特集の記事を担当することになり、慶應大学病院の近藤誠さんという医師の取材をした。取材前に何冊か本を読み、新鮮な驚きをおぼえた。なぜもっと早くに近藤医師の本を読まなかったのだろうと後悔した。実際に会ってみると、過激な理論とは裏腹に柔和なお顔のジェントルマンだった。落ち着いた声で淡々と自説を語る知的でクールな雰囲気に、すぐにファンになってしまった。〈がんもどき〉という、言い得て妙な言葉に深い感銘を受けた。共感するところがたくさんあり、逆に、反論するところがなかった。しいて言うなら本を出し過ぎていることか。よほどの信奉者でなければ、すべての本を読破するのは難しいはずである。ともかく、近藤誠理論を知り「もしも私ががんになったら、一切の治療を拒否しよう」と決めた。

私の唯一の趣味と呼べるものは歌舞伎鑑賞なのだが、食道がんで亡くなった中村勘三郎さんの治療についても近藤誠氏はさまざまなメディアで言及されていた。すごく怒っていた。治療によって、死ななくていい人を死なせたと。あれは「がん死」ではなく、「治療死」である。あんな形で勘三郎さんを死なせたことは、日本文化の大きな損失であると。その通りだと思った。勘三郎さんは、がんに殺されたのではない。医師に殺された！　よけいなことをしなければ、まだ、生きていられた……きれいごとばかり言う医師が多いなかで、やっぱり近藤誠医師の勇気はすごい。

批判を覚悟で、ここまでメディアに顔を出して怒れる医師が、この国に一体どれくらいいるだろう？

あ。もうひとり思い出した。なんだか知らないけど、いつも怒っている医師を。近藤医師が抑制のきいた声で淡々と語るのに対し、この人は、いつも怒りが声にこもっている。ストレートな物言いをされる。一昨年、ある女性誌で終末期医療の取材をしたときに出会った尼崎の医師、長尾和宏医師だ。自分のことを「町医者」と名乗る変わった人である。ときどきブログを覗くがいつ読んでも小気味いい。ユーモアもある。

さてあの長尾医師は、がん治療に関してはどういう意見を持っているのだろうか？　患者さんが亡くなる日まで抗がん剤を打つ大病院がある、終末期に家に帰りたいと望んでもなかなか許可をしない、そして亡くなった人の家族に向って、「惜しい。もう少しでがんが治るところだったのに、先に死んでしまいました」と平然と言ってのける医師がいると怒っていたのを覚えている。

グーグルで検索してみよう。

「長尾和宏　がん治療」。そうだ、もう1語。「近藤誠」と入れてみようか。検索画面を見て、数秒凍りついた。

「近藤誠先生、あなたの〝犠牲者〟が出ています」

それは雑誌、週刊文春のインタビュー記事だった。長尾医師は続けてこんなことを言っている。

「近藤さんの理論を過信した患者が、本来なら延命可能な段階なのに手術や抗がん剤治療を拒否して亡くなるケース、つまり〝犠牲者〟がとても増えているのです。そういう現状に、非常に危うさを感じています」。

「嘘でしょう」。声に出して呟いてしまった。これはどういうことなのか。近藤誠医師と長尾和宏医師は、近い立場にいるとばかり思っていたのに。過剰な医療がはびこる現代に鋭くメスを入れているはずのふたりなのに。何がどうなっているのか。いつからこんな状況になっていたのか。

思わず私は、以前やりとりをしたメールを探し出し、長尾医師に取材依頼を送信していた。わけがわからない。そして、なんだか許せない。怒りさえ湧いてくる。これって職権乱用かしら？　それでもかまわない。いずれどこかで記事にすればいい。それよりも私は、今すぐに近藤医師と長尾医師の双方にこう言ってほしいのだ。

「がん治療は無意味です。闘ってはいけません」と。

だって、がんが見つかっても「何もしない」という選択は、実はどんな治療を受けるよりも、すごく勇気のいることだから。

＊＊＊

2週間後。阪神尼崎駅前ホテルの喫茶室

名刺を見ても思い出せなかった。思い出せなかったが、覚えているふりをした。新聞、雑誌、インターネット媒体……月に何人も記者、医療ライターと名のつく人に会う。いつも似たような話ばかりを求められるので、よほどのキレ者か、よほど若くて美人な記者でなければ一度では記憶に残らない。つまり目の前の彼女はそのどちらでもない。残念なことに。ＩＣレコーダーの録音ボタンが押された。

「おかげさまで、あのときの記事はすごく反響があって。編集長も大喜びでした。長尾先生は平穏死ブームの立役者ですからねえ、ウチでもいずれ、平穏死の連載はどうかなって話も上がっているんですが……」

女性記者は、薄く笑顔を見せながらカフェオレを一口飲んだ。

平穏死ブーム？　ブームにしたのは僕じゃない。あなたたちマスコミだ。死に方がブームになってどうするんだ。ココナッツオイルと死の問題を一緒にするな。きっと数年後にあなたたちはこう言うのだ。「平穏死？　ああ、そんな言葉が一時期流行りましたよねえ」と。

――それは良かった。しかし僕はいつも、当たり前のことを言っているだけです。

一瞬、彼女の顔が曇った。顔色が悪い。40代、いや、50歳を過ぎているだろうか。コーヒーの湯気のあいだから、かすかに煙草の臭いがする。喫煙者か。喫煙者の記者と会うのは、苦手である。喫煙者のくせに雑誌で健康記事を書いている？　笑わせるな、と思うが口には出さずに話を合わせる。わざわざ東京から僕のクリニックのある尼崎まで来てくれたのだ。しかも僕の往診が終わってからという約束で午後8時まで近くのホテルで待っていてくれた。

「ありがとうございます。それで今日は、メールにも書きましたが、終末期医療ではなくて、がん治療についてのお話を中心にお聞きしたいんです」

――なんで僕なの？　どんな記事？　がん専門医にも何人かあたっているのかな？

「いえ、今回は、長尾先生だけにお話を訊きたいのです」

彼女はおもむろに大きなカバンから封筒を取り出した。取材の企画書？　いや、違った。それは診断書のコピーとレントゲン写真だった。

「実は私、2週間前にAがんセンターで非小細胞肺がんと診断されました。すぐに手術をしなければいけないと医師からは言われています。だけど私は、手術も、その先に待ち受けているであろう、あらゆる治療も受けるつもりはありません」

——ステージは？

「ステージⅡAだと言われています」

——もったいない。切ったらええやん。

「いえ、切っても無駄なんです」

——どうして無駄なの？　無駄だって誰が言ったの？　というか、これは本当に女性誌の取材なのかな？　それとも、あなたの個人的な相談ですか？　保険証は持ってるの？　僕はセカンドオピニオンやってないんだけど。

「……」

――まあいいです、それは。とにかく、なんで切らないの？　その理由を教えてくれないと。

彼女は無言のまま、もう一度カバンのジッパーを開いた。何が出てくるかは、もはやわかっていた。彼女が取り出したものは、色とりどりの小さな付箋がついた近藤誠氏の本の束だった。

「長尾先生。私は先生のことをとても尊敬しています。在宅医療、平穏死への提言には大いに賛成でしたから、取材のときも力が入りました。あの記事は自分でも気に入っています。それなのになぜ、近藤誠医師に反論をされているのでしょうか？　失礼ながら長尾先生は、本当に近藤誠医師の本を読まれていますか？」

――もちろん読んでいますよ。僕はある時期まで彼のことを尊敬していましたから。さすがに全部読む暇はないけれど、根本的に彼の言っていることは四半世紀前から変わっていないと思う。ぶれていない。まあ、それが問題なのだけれど。

「私は、先生が近藤理論をちゃんと理解していないように思うのです。それが訊きたくて、今日、尼崎までやってきました。ちゃんと答えてくれるまでは、帰りません。**長尾先生、〝近藤誠理論〟のどこが間違っているのでしょうか？**」

彼女の妙な気迫に押されてどっと疲れた。明日も早いのになあ。きっとこのホテルのラウンジが閉店するまで出られないだろう。グラスワインくらい頼んでもいいだろうか。今日４杯目の珈琲に胃が悲鳴を上げている。

――あなた、ワイン呑む？　お腹空いてないの？

「どうぞご自由に。私は結構です。がん患者ですから」

――肺がんの初期ならワインくらい大丈夫ですよ、煙草よりもずっといい。

むっとした目つきで僕を睨《にら》んだ。可愛げのない記者である。

これって本当⁉

がんに殺されるのではなくて、抗がん剤治療に殺される⁉

「お伺いしたいことを整理してきました。私は今、ステージⅡの肺がんです。2週間前、Aがんセンターで告知を受けました。医師からはすぐに手術をするべきだと言われていますが、そのつもりはありません。痛みが出てきたら緩和ケアは受けるつもりですが、それ以外の治療をやる気はありません。だけど、自分がどんな状況か、死期はどのくらい先なのかを知るために、定期的に診てくれるドクターがほしいのです。なのに、Aがんセンターから、治療をする気がないのなら、来られても困ると言われてしまいました。これって、おかしくないですか？」

――手術だけでなく、抗がん剤治療も一切受ける気はないということですか？

「はい。手術同様、抗がん剤治療は無意味だと近藤医師は言っておられます。それに、私の父も母も、抗がん剤の副作用には大変苦しめられました。副作用で衰弱したのか、がんそのもので衰弱していったのか、わからないくらいです」

――それは何年前の話ですか?

「母が13年前、父が9年前になります」

――まず申し上げたいのは、その頃とは抗がん剤の種類も、副作用対策もかなり様変わりしているということです。あなたのご両親は大変な目に合われたようですが、今も誰もが、あなたのご両親と同様に、副作用に苦しむとは限らない。抗がん剤の苦しみの度合い、副作用の出方も千差万別です。吐き気が止まらないとか、髪の毛が全部抜けるとか、全身倦怠感といったイメージがあるかもしれない。しかし現在では予め対策がとれるようになったので、人によってはそういう副作用がほとんど出ない人もいます。だから、あなたがご両親の闘病の記憶に囚われて、近藤誠理論を担保にしているだけだとしたら、非常にもったいない話だと思いますけれどね。

「それくらい私も勉強しています。だけど、それは客観的な話でしょう？　本当はどんな苦しみがあるかなんて、抗がん剤を受けた人にしかわかりません。長尾先生は、抗がん剤を試したことがあるのですか？」

――ありません。がんでもないのに、抗がん剤を試す医者なんていません。

「抗がん剤は試さないけど、栄養系のサプリや風邪薬ならば、医師ご自身で試すはずではないですか」

――それはあなたの言う通りですね。だけど近藤さんだって、自分で抗がん剤を飲んだことも打ったこともないと思うけどね。客観でしか言っていないのは、近藤氏だって他の医師だって同じでしょう。

「だって近藤医師は、〈抗がん剤は毒でしかない〉と言っているのですから、わざわざ毒を試すわけがないでしょう？」

――そんなこと、どの医者も知っています。たしかに抗がん剤は毒です。だから正常な細胞もやられてしまう。患者さんが衰弱していく理由です。僕は町医者だから、年齢も、がんの種類もさまざまな、幅広い層の患者さんから抗がん剤の副作用についての報告を聞いています。抗がん剤に関しては「意外となんともない」という人もいれば、「死ぬほど辛い」という人もいる。抗がん剤と言っても分子標的薬の登場後はいろいろあるし、反応は人それぞれです。だけどそれは、抗がん剤だけに限った話ではない。医療なんて、なんでもそうですよ。だからあなたも、最初から頑なに拒否せずに、試しにやってみればいいじゃない？　効かなくなってしんどくなったらその時点で「やめます」と言えばいいだけの話であって。

「ええ？　抗がん剤って、自分からやめますって言えるんですか？」

――もちろんです。すべての治療における決定権は患者さん側にあります。

これって本当!?

医者の「押しつけ」は、大病院も近藤誠氏も同じ!?

――僕は、抗がん剤はやる／やらないではなくて、「やめどき」が大切であるという持論を本にしています。『抗がん剤10のやめどき』っていう本ですよ。あなた、それも読まずに僕のところに取材に来たの？

「やめどきって何ですか？」

――がんと診断されたならば、抗がん剤治療はやるべきだ。しかし、必ずや抗がん剤には、やめるべきタイミングが訪れるのです。ときどき僕は、近藤誠氏と同じがん医療否定論者だと言われることがある。しかし僕は近藤氏とスタンスを同じにしたことは一度もない。抗がん剤に関して、近藤氏は基本、最初から「やってはいけない」の一点張りだ。だけど僕はそうじゃない。その人の人生や考え方によって、ご自身で「やめどきを決めてください」と言っているのです。そしてやめどきは、その人が背負っているものや年齢、環境によってひとりひとり違っていいと提唱しているのです。

長尾和宏が提唱する　抗がん剤10のやめどきとは？

- **やめどき1** ＊迷った揚句、最初からやらない
- **やめどき2** ＊抗がん剤開始から二週間後
- **やめどき3** ＊体重の減少
- **やめどき4** ＊セカンドラインを勧められたとき
- **やめどき5** ＊「腫瘍マーカーは下がらないが、できるところまで闘いましょう」と主治医が言ったとき
- **やめどき6** ＊それでもがんが再発したとき
- **やめどき7** ＊うつ状態が疑われるとき
- **やめどき8** ＊一回治療を休んだら楽になったとき
- **やめどき9** ＊サードラインを勧められたとき
- **やめどき10** ＊死ぬときまで

「でも、患者側からやめますと言うのはやはり、すごく勇気のいることです。やめると言った瞬間に、病院から見放されることになりかねません。何も治療をする気がないのなら、ホスピス（緩和ケア病棟）へ行ってください、と言われることもまた、相当に辛い選択かと。がん難民という言葉もあります」

――大病院であればあるほど、おいそれと「やめます」と言えない空気があるのはわかりますよ。それをパターナリズムと呼ぶのだけど。

「パターナリズムって何ですか？」

――あなた、本当に記者なの？　パターナリズムというのは、父権主義とか、父親的干渉主義とかそんな意味です。ベストな方法を見つけるのは医師なのだから、患者は黙って従えというような空気をこう呼ぶこともある。

「つまり、押しつけの医療ということですか？」

——そういうことです。

「その通りですね。がん告知、そしてインフォームドコンセント（＊患者さんへの説明と同意）なんて、ほとんどの病院で形骸化されているではないですか。患者さんに充分な説明はしました。だけど治療方針は医師の言う通りにしなさいよ、みたいな。患者側からしたら、特にがん医療においては、同意しません、と言える余地なんてどこにもありません。そうした空気がおかしいと、近藤医師は怒っておられる。病院は、手術で失敗して合併症や後遺症が起きたときに訴訟になると困るから、想定されることが全部書かれた同意書にサインさせる。患者さんを守るためのものではなく、病院側を守るためであると」

近藤理論の検証①

〈現在の日本の病院における「インフォームドコンセント」は、患者さん側ではなく医療者側を守るためのものになっている〉

長尾の答え↓〇　残念ながら、僕もその通りだと思います。

——その近藤氏の意見には、僕も同意します。

ただそういう背景になったのには、理由がある。医療過誤《かご》、医療訴訟があるたびに、メディアが「医療者側の杜撰《ずさん》さ」を煽《あお》り、喧伝したから、患者さん側は、「何かひとつでも間違いがあれば、訴えてやる」という姿勢で医療者側と対峙するケースが増えてきた。そういう空気になれば、医療者側は萎縮して、先のようなインフォームドコンセントを行わざるを得ない。結果、患者さんの利益にはならないという構図ができてしまっています。それが不要なパターナリズムを生み出している。そしてあなたは、パターナリズムへの怒りが近藤理論の根底にはあると思っているわけですね？　だけど、その近藤氏だって、ある意味パターナリズムのなかにいると思います。

なぜ、医療においてパターナリズムということが起きるのか。理由は二つあります。一つ目は、「充分な情報を持っているのは絶対的に医師側であるということ」。二つ目は、「患者さんの意思が、長い目で見たときに患者さん本人の利益になるとは限らないことを、医師は知っているということ」。

裏を返せば、この二つからなるパターナリズムで読者を誘導することで、近藤氏の著作も支持を得ているということではないのですか？

「近藤医師は、患者に何も押しつけません！」

――それはどうかな。彼の本のタイトルを見てごらんよ。『抗がん剤は効かない』、『あなたの癌は、がんもどき』、『放射線被ばくＣＴ検査でがんになる』そして『何度でも言う　がんとは決して闘うな！』。これが押しつけじゃなきゃ何？

「そんなことを言う長尾先生だって、そのパロディみたいに『家族よ、ボケと闘うな！』なんていうふざけたタイトルの本を出されていますよね？」

――ふざけているかどうかは、本を読んでから言ってください。あのねえ、がんは治る時代にきているんです。だから、ある程度の年齢、ある程度の進行度までは、手術や抗がん剤、放射線などの三大治療で闘ったほうが得な場合がいくらでもある。だから僕は、「やる／やらない」という議論はもう古くて、重視するべきは、患者さんのＱＯＬ（生活の質）を下げないためのやり方と、何よりも〝やめどき〟である、と言い続けているのです。

一方、現在世界的に急増している認知症は、もっともっと高齢者が中心の病です。脳の老化現象のひとつであり、病気と断定すべきことが正しいことなのかさえ僕はよくわからない。脳血管性認知症など一部を除いて、手術ができるわけでもない。病院で「認知症」だと診断を受けても、進行をある程度遅らせる薬はあるけれど、たいていはその副作用でかえってＱＯＬが急激に落ちていき、人格が変わったり、運動能力が落ちたりして寝たきりになっていく。あのタイトルは、「現代において、がんは闘ったほうがいいけど、認知症は闘うとえらい目にあうよ」という、アイロニーを込めたメッセージなのです。しかも「家族よ」と家族に向けて言っているのです。家族の、闘おう、闘わせようという想いが強すぎると、認知症の本人が不幸になっていくというパターンを何百ケースも見てきているから。がんとは全然世界が違うのです。医療者と患者間ではなく、家族間によるパターーナリズムも存在しますからね。

どちらにせよ、がん治療を肯定する側も、がん治療を否定する側も、パターナリズムが存在していることには変わりはないのです。特に、近藤氏がよく言う「がん治療に殺される」なんて言説は、パターーナリズムを超えて、もはや脅しの域に入っていると感じます。

「だけど、近藤医師の本を読んだとき、私の父ももしかしたら、がんに殺されたのではなく、がん治療に殺されたのかもしれないと思ったのです。有名なAがんセンターで診てもらえると決まったときは、すごく父も喜びました。ふつうは、すぐには入院できる病院ではないと聞いていましたから。父は勤め先の社長さんのつてで幸運にも紹介してもらえたのです。これできっと助かる、と思いました。母の乳がんのときは、地元の市民病院でしたから。だからお父さんはツイている。きっと助かる、と思ったのです」

――お父さんはどこのがんだったのですか？

「父も私と同じ、肺がんでした。見つかったときは、ステージⅢでした。どの雑誌の病院ランキングを見ても、Aがんセンターは肺がんを治せる病院ベスト10に入っていました。それが、手術をしたらすぐに再発、抗がん剤治療を続けたけどまったく元気な状態には戻らずに、術後10ヶ月で逝きました。その後、私は、近藤誠理論と出会ったのです。父が亡くなる前にこの理論に出会えていれば……」

――つまりあなたは、父親の闘病中に近藤誠理論と出会っていたら、Aがんセンターから引っ張り出して、何も治療を受けさせなかったかもしれない、ということですか？

「はい。たぶん……」

――あなたが強引に父親を病院から連れ出して、近藤理論に従って無治療の道を歩ませたとして……それでも今、生きていないだろうし、何よりも、お父さんご自身がそれで納得したと思いますか？

「……わかりません。だけど、あんなに苦しまなくても済んだのではないかと」

――どうして**「がんは、何も治療をしなければ苦しまない」と言えるの？** がん治療を受けても受けなくても、それなりの苦痛はあるものですよ。それに、父親に無治療を勧めていたとしたら、あなたには、「どうして治療を受けさせなかったのだろう」と大きな後悔が残っているはずです。今以上の自責の念がね。

「どういうことですか？」

――そんなご家族をたくさん見ていますからね。人間というのは愛する人の死に対し、「何かさせたこと」への後悔よりも、得てして「何もさせなかったこと」「してあげられなかったこと」で後悔することのほうが多いのです。それが家族というものです。**近藤誠理論を信じて、がん治療を受けずに旅立った場合、家族はその直後から大変に悔やみます。**「騙された！」「何であんな理論を信じたのだろう」そんな怒りと哀しみのメールや手紙が、僕のところへも送られてくるのです。もちろん、全員が後悔しているとまでは言いません。でも、そういうケースもあるということ。近藤氏は「放置療法をして後悔している人はいない」と言っているようだが、どうしてそんなことを断言できるのか信じられない。私のところにさえも、患者さん本人やその家族からたくさん手紙が送られてくるのですよ。だから黙ってはいられないわけで。

「近藤医師は、抗がん剤治療を受けて後悔している人はたくさんいる、一方、（放置療法をして、治療を）受ければ良かったと後悔している人は一人もいないって」

――それはあきらかに間違っている。極論ですよ！　**近藤誠理論を信じて途中までがん放置療法をやったせいで、手遅れになってしまった。もっと早くに抗がん剤治療を受けていれば、今頃治っていたかもしれないのに。悔しい**と。そんな手紙が何通かきました。結局、途中で間違いに気が付いた人は、その後は近藤氏と決別し、セカンドオピニオン外来にも行かないわけですから、ただ単に、近藤氏がそういう患者さんを診る機会がないだけでしょう。町医者の僕のように、長い付き合いにはほとんどならないでしょうからね。

いいですか？　あなたのように、早期発見でまだステージⅠ、ステージⅡレベルの人であれば、抗がん剤を上手に使えば、延命は可能です。しかしステージⅣの場合は、どうか。たとえばステージⅣでがんが見つかった場合、抗がん剤治療をすると途端に体力が落ち、食欲もなくなって一気に身体が衰弱する場合があります。そこを一緒くたにして、まだ早期の人に対しても、ステージⅣの人に対しても、同じように「あなたはがんに殺されるのではなく、抗がん剤治療に殺される」と脅すというやり方は、絶対に間違っているのです。

「つまり、ステージⅣでの抗がん剤治療は長尾先生も勧めないと？」

——いいえ。大腸がんなど、がんの種類によってはステージⅣから抗がん剤治療を行っても延命効果が認められる場合はあります。それどころか完治もある。その一方で、「最期まで抗がん剤を打たれてボロボロになって死んだ」、「副作用で痩せ細り、骨と皮になってしまったのに〝まだ頑張れます〟と大学病院が言っている」といった声も多く聞きます。だから間違いのなかに少しだけ真実があります。

近藤理論の検証②

〈がんに殺されるのではなく、抗がん剤治療に殺される〉

長尾の答え↓△　末期のがん患者さんにおいては、一部そういうケースもあります。だから×に近い△です。しかし早期がんでは明らかに×です。

これって本当⁉

ステージⅣ患者が食い物に⁉

――がんが終末段階に入っても延命治療をやりすぎた場合、よけいに苦しむケースが多々あります。

「長尾先生が、抗がん剤のやめどきを見極めなさいと言うのは、穏やかに過ごせるはずの終末期が、そうではなくなると。かえって苦しんでしまうこともあるからという理由からなのですね」

――その通りです。先日も、全身に転移したステージⅣの50歳代の胃がんの患者（男性）さんから、在宅医療を依頼されました。かなり衰弱されていましたが、まだ若いので、何とかがんを克服しようと必死で闘っておられました。ご家族から話を伺うと、抗がん剤、放射線治療、私のクリニック……なんと3つの医療機関をかけもちされていることがわかったのです。それぞれの病院で検査をしては、それぞれの治療を受けている。そのうえに、温熱療法や免疫療法などの民間療法も並行して行っている。つまり6つの医療機関にかかっていたのです。当然、その患者さんは超多忙でクタクタだ。ご飯を食べる気力もなく、衰弱してもはや一人では歩けないため、身内に付き添われて、それぞれの病院に通っています。複数の医療機関へ通院自体が体力的にも金銭的にも大きな負担になっているのだが、本人はそれを認めたくないのでしょう。そして、どこの医療機関の医師も「一緒に治しましょう」としか言わない。「もう治療をやめようよ。やめどきだよ」なんてことを言う医師がひとりもいないのです。それどころか、全身骨転移の痛みが強いので、僕が「在宅で緩和医療をしましょう」と提案したら、免疫療法の主治医から「まだ早い」と言われたそうです。

「長尾先生は、現状の免疫療法についてどうお考えでいらっしゃいますか？　近藤医師は、現在我が国で行われている免疫療法は詐欺同然だと断言しています。キラーT細胞を患者の体内に戻す自己リンパ球移入療法も、樹状細胞がんワクチン療法も、ほとんど効果がないのにもかかわらず、数千万円も搾取されるケースがあるから、詐欺同然だというわけです」

――そこは完全に同意します。先の患者さんと接していると、免疫療法を勧める医師をはじめ、さまざまな人々が、ステージⅣにたかっているようにさえ感じる。何よりも値段が高いのが問題でしょう。これが数万円ならば、僕も黙認するけれども。最初にお金を払わされるから、治療の途中で亡くなったとしてもお金は戻ってこないケースがほとんどです。しかし最近の研究では「抗PD－1抗体」といって、全く新しい免疫療法の方法が探られています。あと数年経てば、効果のある免疫療法も登場するかもしれないが、今はまだ、時期尚早です。

「最近は大学病院でも免疫療法を行うようですが、そこも同じでしょうか？」

――確かに一部の大学病院では、先進医療として免疫療法が認可されています。だけど巷のクリニックはあやしくて、大学病院で行っている免疫治療ならば安心だとは言い難い。大学病院で行っていることは、あくまでも研究段階です。未来へデータを残すために、研究に協力をしたい、それで延命の可能性が少しでもあるのなら、と考えるのであれば受ければいい。ただ、金額的に食い物にされないのが大学病院で受けることのメリットです。

このように、現在のがん医療では、ステージⅣの患者さんは結構さまよっておられる。いわゆるがん難民も含まれます。緩和ケア医が、「ステージⅣの患者さんが、我々のところに来られるタイミングが遅い」とボヤいているのは20年前と全く変わっていないんですよ。町医者をしていると、こうした「医療の食い物にされているステージⅣ」の若い患者さんとたまに出会うのです。こういう状態の人を見たときだけは、思わず、近藤氏の本を渡してあげようか、と思ってしまうことがありますよ。実際に渡したことはないけれどね。つまり、こうした場合において、近藤誠理論は「必要悪」かもしれないと……。

「つまり先生は、ステージⅣにおいてのみ、放置療法を勧めるべきだと？」

――それは違います！　何でもかんでも、がんのステージで区分けしようとすると、大きく間違えます。もっと患者さんそれぞれの個別性を重視して考えなければなりません。そもそもステージⅣ＝末期がんではありません。

「えっ？」

これって本当!?

ステージⅣのがんでも、5年生存どころか完治することもある!?

――がん患者さんならば、誰もが知っていると思いますが、がんは、その進行度合によってステージ0からステージⅣまでに分かれます。あくまでも、患者さんの治療方法や5年生存率を推測するための目安であって、ステージⅣ＝末期がん、と決めつけるのはよろしくない。しかし近藤氏に言わせれば、ステージⅣというのはすでに他の臓器に遠隔転移もある状態、何をやっても治らない〝本物のがん〟であるわけだから、何をしても無駄だ、という言い分ですよね？

「固形がんにおいて、ステージⅣで手術や抗がん剤などの治療をするなんて、近藤誠理論からは考えられません！　殺人行為です」

――個別性を考慮せずに、そうした一方的な考え方を患者さんに植え付けてしまうのが、近藤氏の危ういところです。**ステージⅣのがんでも、5年生存どころか完治する例もある。**たとえば肝臓、肺、脳に転移巣があるステージⅣの大腸がんが外科切除と化学療法で完治した例は珍しくない。反対にステージⅠでもがん死する人もいます。ステージⅡ、Ⅲは完治するか、がん死するかのどちらか。すなわち、**がんの3人に1人は完治するが、3人に2人はステージⅣを経て死に至るのが日本人の現実です。**

「がんになった人の、3人に2人がステージⅣという段階を経験する……」

——そうですよ！　3人に2人がステージⅣを経験する現実に対して、「あなたのがんは、〈がんもどき〉。だから何もしてはならない」と近藤氏が言うこと自体に、大きな感覚のずれを感じませんか。非現実的だと思います。がんが発見されたときに、近藤氏の本を読み、「私のがんは、〈がんもどき〉かもしれないから、何も治療をせずに放っておこう」と考え、あっという間にステージⅣの状態に。その状態で痛みが出て、急激にＱＯＬが下がり、慌てて病院に「何とかしてくださいい」と駆け込むと、医師は「どうしてもっと早く来なかったんだ？　もっと早く来てくれたら、いくらでも手だてはあったのに……」とお互いが、悔しい思いをするんです。まさに**近藤誠理論の被害者**です。

その一方で、ステージⅣに関する世の情報が圧倒的に不足している気がします。「ステージⅣ＝終末期」という誤解にしてもそう。玉石混交であれ、完治するほうの情報は豊富でも、完治が難しいときの情報は、あまりに錯綜《さくそう》しているように思えてならない。

「そもそも、5年生存率って何ですか？」

5年生存率とはがん治療の経過を表す数字です。5年生存率は、治る／治らないではなく、単純にがんと診断されて5年後に、その人が生きているかどうかの確率を、過去のデータから提示したものでしかありません。

2003年～2005年にがんと診断された日本人の「がんの統計13年度版のがん種別5年生存率」によれば、すべてのがんの5年生存率は、58・6％でした。しかし、「5年生存率」が高いがんと低いがんがあり、10倍以上の開きがあるのです。

地域がん登録における5年生存率（2003〜2005 年診断例）

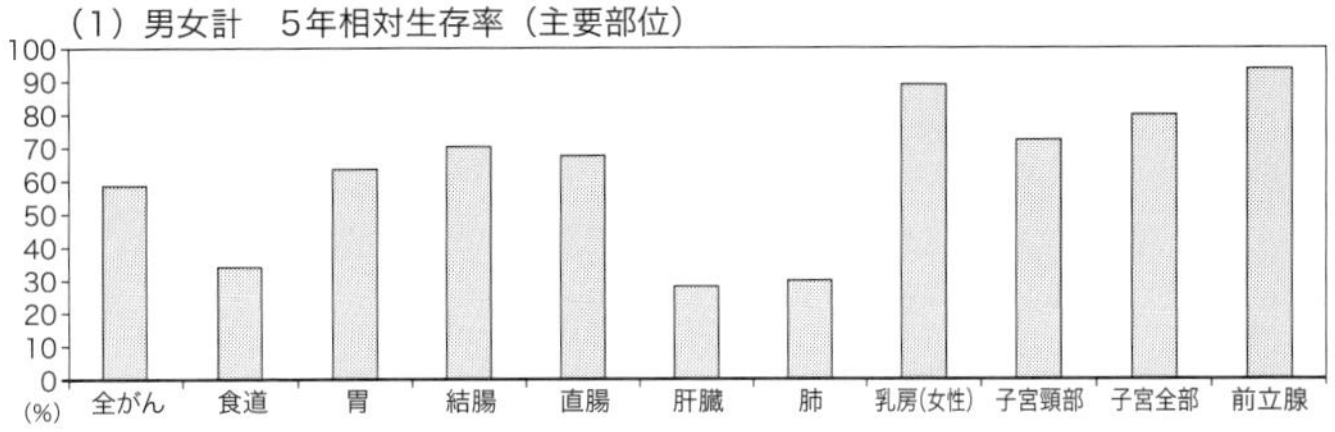

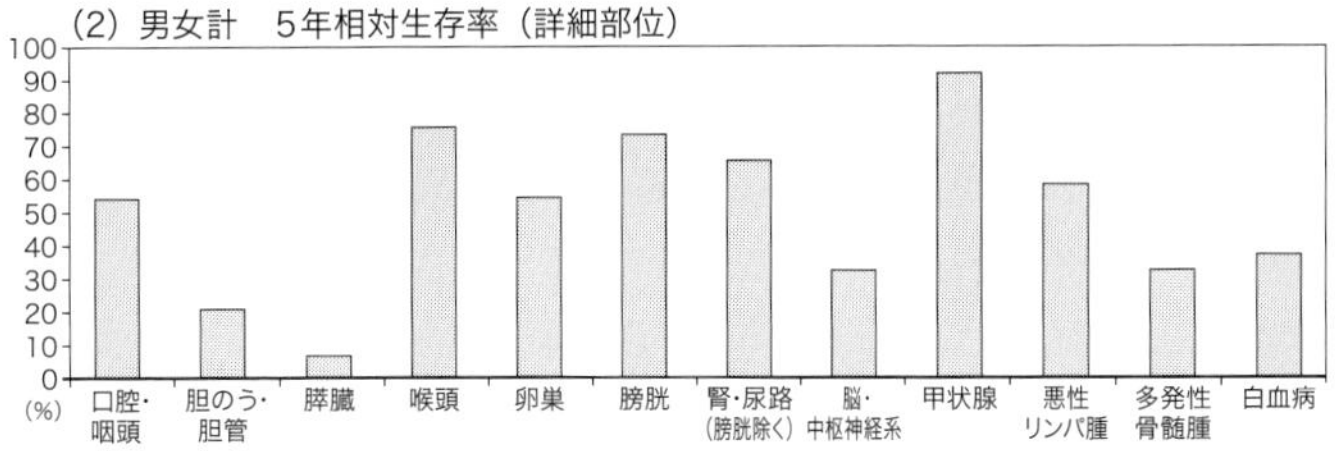

地域がん登録における 2003 〜 2005 年の診断例の全がんの 5 年相対生存率は 58.6%。

生存率が高い部位は、乳房 (女性)、子宮、前立腺、甲状腺。

生存率が低い部位は、食道、肝臓、肺、胆のう・胆管、膵臓、脳・中枢神経系、多発性骨髄腫、白血病。

＊　7 つの府県（宮城、山形、新潟、福井、滋賀、大阪、長崎）の地域がん登録において 2003 — 2005 年に診断された患者(注1)が対象。

（注 1）死亡票のみの患者、第 2 がん以降、悪性以外、上皮内がん (大腸の粘膜がんを含む)、年齢不詳および 100 歳以上、または遡り調査患者を除く。

出典：がん情報サービス　最新がん統計より
http://ganjoho.jp/public/statistics/pub/statistics01.html

――80歳の男性に、PSA検査から前立腺がんが見つかることがよくありますが、そもそも、平均寿命から考えて（がん死でなくても）85歳まで生きているかどうかがわからないわけです。すでに男性の平均寿命を過ぎているので、現段階で自覚症状がなく、排尿時の不便などを感じてなければ進行が比較的ゆっくりである前立腺がんを治療するかしないかという選択は、実はどうでもいい問題なのかもしれません。80代の女性に偶然発見された甲状腺がんでも同じような理屈になるでしょう。

すなわち高齢者であるほど、こうした5年生存率が高い臓器にできたがんには、近藤氏の言う「放置療法」は理にかなった考え方になることがあるのです。近藤誠理論は、多くのがん患者さんにとっては、極論です。しかし、このような、高齢者のおとなしいがんへの過剰医療に対する警告であると受け止めれば、**近藤誠理論は、現代の行き過ぎた一部の治療行為に対して警告を鳴らすための、必要悪なのかもしれません。**

「近藤誠理論は、必要悪……ですか」

――ある視点から考えれば、の話です。ステージⅣのがん患者さんへの対応は、年齢、臓器、悪性度、認知症の程度、QOL、そして高齢者であれば本人の死生観など多くの側面によって決まるはずです。もっと言うならば、患者さんの意思決定プロセスは、何も終末期だけではなく、ステージⅣのがん医療においても、活かされるべきなのです。いつだって患者さんの意思は、最大限に尊重されるべきもの。しかし、病院が治療方針を決める際、がん患者さん本人が不在のまま、意に沿わぬがん治療をされたことへの反発が、近藤理論の支持にも繋がっている気がしますね。ステージⅠからの緩和ケアの必要性が謳われて四半世紀以上が経過しますが、現実にはステージⅣであっても、充分な緩和ケアの恩恵に預かっている人はまだまだ少ないように思います。

近藤理論の検証③
〈がん放置療法の是非〉
長尾の答え↓×に近いが、ただし、人によっては△　がん放置療法で後悔し、被害者と呼ぶべき人がたくさんいる現実を見よ。ただし、高齢者や虚弱者における比較的おとなしいがんには、一部有効です。

ちょっと一息

町医者だから知っている、がん患者さんの現実…

～ステージⅣ。抗がん剤治療を拒否したのに、腫瘍マーカーが10分の1に～

先日、とっても嬉しいことがありました。

70歳台のステージⅣの肺がんの男性患者さんの、当院での3カ月間の臨床経過に関してご紹介します。その男性は、ある病院で肺がん（腺がん）が見つかりました。副腎に大きな転移巣も見つかりステージⅣと診断されました。主治医は抗がん剤治療を勧めましたが、強く拒否されました。

いわゆる〝放置療法〟になるのでしょうか。別に近藤誠氏などの医療否定本の影響を受けているわけではないとのことですが、自分の哲学というか生き方として、そう自己決定されたそうです。しかし、彼の主治医はそんな気持ちをまったく理解してくれないどころか、「抗がん剤をしないとすぐに死ぬぞ」という脅しのような言葉しか言ってくれない……と愚痴りながら、僕のクリニックに相談に来られました。

　僕は、その人のお考えをじっくり聞いたうえで、「治療をしないという自己決定を私は支持し応援します。将来の緩和ケアや在宅医療は任せてください」と言いました。

　たったその一言だけで、驚くほど喜ばれました。そしてその場で、がん専門病院への通院をやめます、と宣言されました。そして僕に最期まで診てほしいと、何度も話されました。その後、2週間ごとに僕のクリニックに顔を見せに来られているのです。現在のところ、食欲旺盛で、痛みもまったくありません。

　この患者さんに対し、CEAという腫瘍マーカーをフォローしています。初診時では、486（正常は5以下）でしたが、1カ月後には360に下がり、そして3カ月後の採血ではなんと、38まで、低下していました。腫瘍マーカーが10分の1以下になったのです！　その4カ月間に私がした医療行為といえば、たった一つだけ。補中益気湯という漢方薬を、飲んでもらっていました。僕が処方し、多くのがん患者さんに飲んでいただいている漢方です。

　一方、患者さんの日常生活で変わったのは1日の生活リズムです。がんと診断されてから、自分の名前をつけた農園を始めて、京野菜の栽培に夢中になっているそうです。収穫した野菜を、友人知人に毎日のように送っておられる。皆さん、美味しい！　ととても喜ばれるとのこと。人から喜ばれる、人から必要とされていると感じることが、きっと大きな生き甲斐になったのでしょう。

その患者さんは、たった3カ月間で見る見ると精悍《せいかん》な顔つきに変化していきました。もしあのとき、抗がん剤治療を開始していたのならば、二度とこんな精悍な顔つきにはならなかったんじゃないのかな、とも思います。

ステージⅣの肺がんが、抗がん剤治療をやめた後、漢方薬だけで、腫瘍マーカーが10分の1以下に低下するなんて……。もしかしたら、本人の免疫機能が向上したのかもしれません。今生きていることに、日々感謝できるようになったと笑っておられます。

サイコオンコロジー（精神腫瘍学）という研究分野があります。患者さんの精神状態（心の動き）とがんの関係を調べる学問です。サイコオンコロジー的に言えば、ストレスが激減して免疫能が向上した!?　こうした現実を、医学的にデータ化することは難しい。あくまでも例外的な一例として、ご紹介します。しかし町医者として、がん患者さんと対峙するとときどき、こうした驚くべきケースを目の当たりにするのです。

＊補中益気湯（ほちゅうえっきとう）……は、漢方の古典である『弁惑論（べんわくろん）』に記載されている漢方薬。滋養強壮作用のある〝人参〟と〝黄耆〟、水分循環を良くする〝蒼朮〟、炎症をひく〝柴胡〟、血行をよくして貧血症状を改善する〝当帰〟、のどの痛みや痔を治す〝升麻〟、胃腸の働きをよくする〝陳皮〟や〝生姜〟など10種類の生薬で構成されている。構成内容（＊人参（ニンジン）　＊黄耆（オウギ）　＊蒼朮（ソウジュツ）または白朮（ビャクジュツ）　＊柴胡（サイコ）　＊当帰（トウキ）　＊升麻（ショウマ）　＊陳皮（チンピ）　＊生姜（ショウキョウ）　＊大棗（タイソウ）　＊甘草（カンゾウ））

これって本当⁉

「余命宣告」は、がん治療に持ち込むための脅しである⁉

「私の母の話をさせてください。当時58歳だった母に乳がんが見つかったときは、すでにリンパ節に転移していました。医師には、抗がん剤をしなければ、余命半年。抗がん剤をすれば1年半は生きられるかもしれない、と言われました。もちろん、抗がん剤をやります、と即答しました。そして医師の予測通りにその後、1年半近く生きてくれました。でも、私はやはり後悔ばかりしています。母の最期の1年は、ずっと苦しみ続けた1年でしたから。抗がん剤治療をお休みしたときに、ときどきはごはんを食べられる日もありましたけれども。でも、最期は、昔の母の面影がないほど痩せ細って……その1年に何か意味があったのかな？　って、今でもときどき思うんです」

――そのお気持ちはよくわかります。そのようなケースは、私も山ほど見ています。何もしなければ半年。抗がん剤治療を受けたらプラス1年なんて言われたら、誰でも抗がん剤治療に飛び付きますよね。だけど、**その前提となる「余命半年」というのは、僕に言わせれば、どれだけの根拠があるのだろうか。僕は余命宣告という言葉自体が大嫌いだから、絶対に患者さんにそんなことは言わないけれども。**

「根拠がないとはどういうことですか？」

――雰囲気とデータですよ。だけど余命なんて、すごく個人差のあるものだし、たいていの医者は実際よりも短く伝えます。伝えた期間より長く生きれば、それだけで「おかげさまで余命宣告より長生きできました！」と家族から感謝される。逆に、それよりも短ければ「話が違うじゃないか。なんで早く死なせたんだ！」と文句を言われる。要は、余命宣告というのは、医者の自作自演の部分がある。特にがんの世界においてはね。

「近藤医師は、余命宣告は医者の脅しであるといろいろな本で書かれています。不安を煽って、医師がやりたいようながん治療に持ち込むための脅しであると」

――それには僕も異存はありません。近藤氏の言う通りだと思います。

「抗がん剤をしないとすぐに死ぬよ、再発するよという医師の言い方は酷くないですか？」

――乱暴だと思いますね。それは近藤氏の主張する「抗がん剤に殺されるよ」と同じくらいに乱暴だよね。医師からそう言われた場合はまず、「余命半年の根拠は何ですか？」と訊いてみることです。おそらく「そういうエビデンスが出ています」という言い方しかできないはずです。だけど、延命のエビデンスというのは、あくまでも生存期間中央値。

「生存期間中央値って何ですか？　平均値とは違うのですか？」

――違います。参考として、この図を見てください。この場合、0カ月目には、1190症例のすべての患者さんが生存しています。しかし、時間が経つごとに、

非小細胞肺がん 1190 症例における緩和ケア単独（無治療）と化学療法との無作為比較試験のメタアナリシスの結果

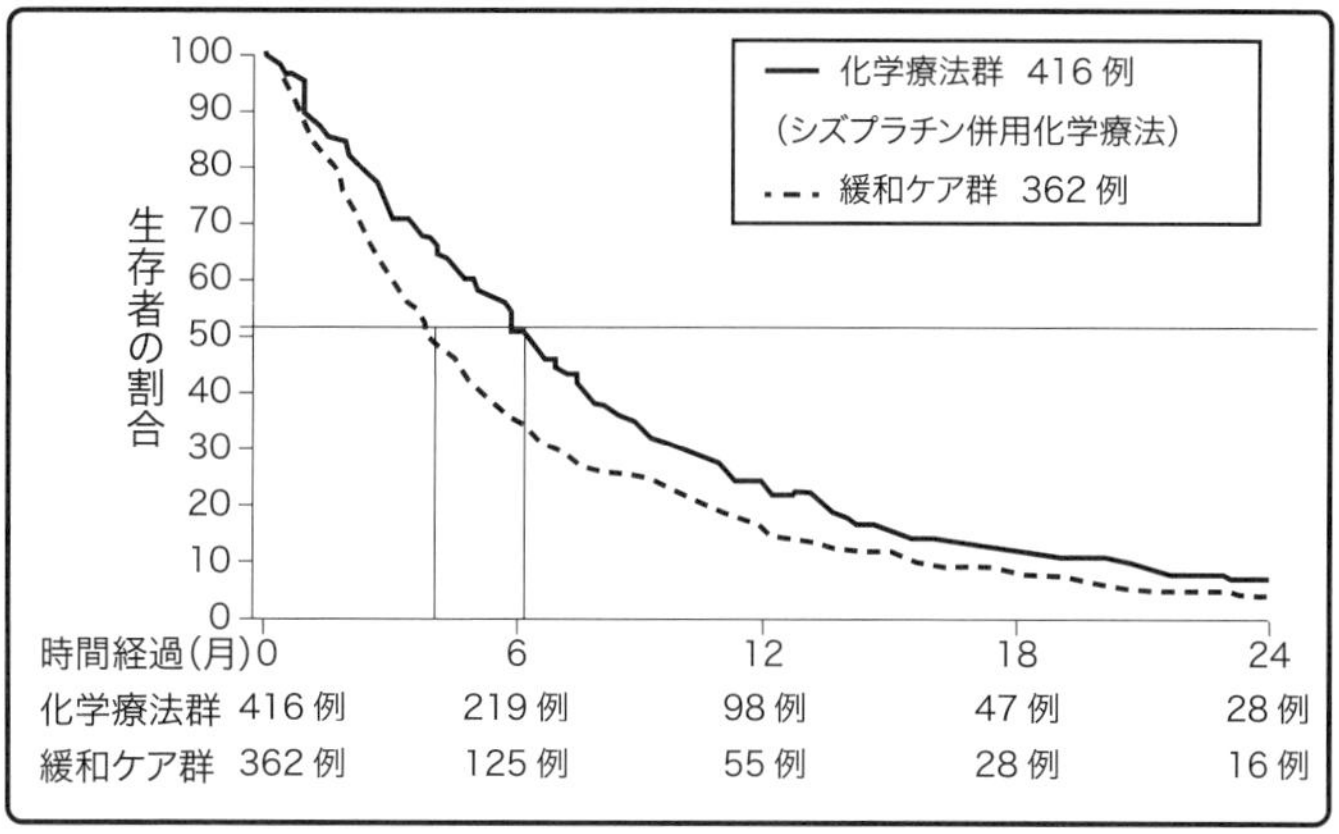

時間経過(月)	0	6	12	18	24
化学療法群 416例		219例	98例	47例	28例
緩和ケア群 362例		125例	55例	28例	16例

非小細胞肺がんで、シスプラチン併用化学療法により、MST（生存期間中央値）は 1.5カ月の延長が確認された。

（MMJ 311;899-909.1995）（雑誌名）

引用 URL：http://umezawa.blog44.fc2.com/blog-entry-5.html

抗がん剤を受けている人も（化学療法群）、抗がん剤を受けなかった人も（緩和ケア群）も徐々に亡くなる人が出てくるわけです。そして、被験者のうち生存している人が50％になった時点を、生存期間中央値と呼びます。抗がん剤治療の効果があるか否かは、こうしたグラフで有意差を見るのです。このグラフの場合は、1ヵ月半の有意差があった。だからこの「抗がん剤は効果がある」というエビデンスが出る。同時に、余命宣告もこうしたグラフに基づいて医師が行っているわけです。

「えっ、だけど待ってください。こうしたグラフを前提にして、医師は余命宣告を告げるのですか？　でも、なかには2年近く生きている人もいますよね？　抗がん剤をやっている方でも、やっていない方でも……」

——その通りです。生存期間中央値と個々人の余命期間というのは、まったくイコールではないことがおわかりでしょう？　もちろんそこに、医師それぞれの経験値も多少は含まれるけれども。だけど口頭でこんなことを言われたら、「抗がん剤をやります」って言っちゃうよね。**近藤誠氏が、「余命宣告は脅しである」**

と言っているように、僕もこうした余命宣告の在り方を、「脅迫系医療」と呼んでいます。「インフォームドコンセント」と言いながら、「脅迫系医療」のもとでの抗がん剤治療は、先ほど僕が指摘したパターナリズムが先に立つ。この言葉に語弊があるのなら、やはり医者の押しつけ、上から目線だということです。だけどね、医師の立場から言えば、脅迫しなければならない理由があるのです。

「医師が患者を脅迫しなければいけない理由、ですか…？」

――**標準治療（手術、化学療法、放射線療法）という壁**ですよ。

標準治療を行わなければ、同僚からチクられる可能性があります。がん治療というのは基本的に、がん拠点病院におけるチーム医療です。あなたのように、抗がん剤を拒否した人をそのまま認めて通院をさせれば、「あの医師は標準治療からはずれたことをやっている！」と刺されかねない。

「医師は標準治療を行わないと、逮捕でもされるのでしょうか？」

――そういうわけではありません。しかし、もしも医療過誤の訴訟が起きた場合、裁判官は標準治療に照らして判断を下すでしょう。一方、がん治療には個別性が重視されるので、標準治療をどう使うかは患者と医師との相談によります。しかし近藤氏は、放射線治療に関してはそれほど噛みつかないが、外科手術、抗がん剤治療といった標準治療全般に否定的でしょう？

「もちろんです。近藤医師は、外科手術は悪戯にがんを暴れさせるし、抗がん剤はがん細胞と同時に正常細胞まで殺してしまう劇薬だからやめなさいと言っています。ただし、放射線だけは一定の条件で勧められています」

――御自身が放射線医だったこともあるでしょう。**日本は確かに、放射線医が外科医や腫瘍内科医に比べて下に見られる風潮があるのです。**人数も少ない。そうしたルサンチマンが、今の近藤誠理論にどこかつながっている気がしてならない。標準治療というのは、その時代時代で多少なりとも効果がある、エビデンスが認められた方法であることは間違いありません。問題があるとすれば、標準治療を金科玉条のように振り回す専門医がいる場合です。患者さんの想いと全く違う治療法を一方的に押しつけられ、うまくいかなかったら恨みだけが残る。で、そういう人のご家族が、近藤氏の本を読んで強く共感をする。

「標準治療を金科玉条のように振り回す専門医たちが、余命宣告を脅しに使って、治療を勧める場合があるということですか？」

――「この患者さんにはもう抗がん剤が効かなそうだ」と感じていても、標準治療に則って、強迫観念に囚われたかのように患者を脅迫して抗がん剤治療を行っている部分が少なからずあるのではないか。個人個人の背景（ナラティブ）を鑑みずに、グラフだけで余命宣告を伝え、抗がん剤治療に誘うことがね。

近藤理論の検証④

〈「余命宣告」は、がん治療に持ち込むための脅しである〉

長尾の答え→〇　僕はそもそも、「余命宣告」という言葉が大嫌い。そして、がん患者さんに対し、余命宣告はほとんど必要ありませんし、あてになりません。医師はたいてい短めに言います。

これって本当!?

「余命3カ月のウソ」の嘘!?

――しかし僕は、近藤氏が余命宣告についていろいろと検証されているなかで、おかしな言説もたくさんあることが気になって仕方がありません。

「おかしなところなんて、ありません。近藤医師は、余命について大きく二つの意見を持っています。一つは、本物のがんでかつ固形がんの場合、その増大するスピードはまちまち。だから初診時か、初診から間もないときに余命を宣告された場合は、不正確かウソかどちらかである。二つ目は、先ほどお話したように脅し文句として。たとえば、胃がんで余命3カ月と言われた人が、抗がん剤治療を受けて、3年あまり生きている場合。これは、抗がん剤が効いているわけではなくて、もともとが3年以上生存できる程の進行度だったものを、医師が抗がん剤治療をやりたいがために、3カ月と脅したままでのことである」

――詭弁です。3年以上生きられるはずの人に「3カ月」と脅しのために言う医者なんていませんよ。近藤氏は、3年間延命できている人に対し、その抗がん剤治療に効果はないとどうやったら証明できるのだろう？　自説と合わずに都合が悪いから、〝医者の脅し〟で片づけている傾向があるのです。近藤氏はよく、「歩いて病院に行ける人間が余命3カ月なんてあり得ない」と言うが、それががんという病です。先日惜しくも大腸がんで亡くなられた俳優の今井雅之さんも、亡くなる1カ月前に歩いて記者会見の席まで行き、きちんとお話ができていた。がんで亡くなった人のお葬式ではよくこんな弔辞が聞かれます。「2週間前に一緒にゴルフをやったのに」「先月、一緒に温泉に行ったのに」……寝付くのは、たった1週間だけという人もいます。治療で殺されたわけではない。

近藤理論の検証⑤

〈歩いて病院に行ける人間が、「余命3カ月」なんてありえない〉

長尾の答え↓×　詭弁です。最期の1カ月から、突然QOLが落ちるのががんという病。その前まで普通の生活がわりと保たれるのががんの特徴。

ちょっと一息

町医者だから知っている、がん患者さんの現実…

～年に一度の健康診断では、がんが見つからないこともある～

がんがステージⅢやステージⅣで発見された方が、たまにこんな愚痴をもらすことがあります。

「先生、私は真面目に毎年、会社の健康診断を受けていたのに、どうして私のがんは、こうなるまでひっかからなかったのでしょうか？」

企業に勤めている方は、年1回の健康診断を受けることになっています。企業（雇用主）は健診の実施が義務で、社員にとっては受けることが義務です。健康診断の実施は法律で定められており、違反すると罰則があります。雇用主は労働者の健康を守る義務があるのです。

しかしなぜ、がんが見つからないことがあるのか？　知っておいてほしいのは、会社の健診項目は主に生活習慣病の発見がターゲットで、がん検診は必須項目ではない、ということです。従って、がんに関しては「年に1回の健康診断さえ受けていれば大丈夫」ではありません！　つまり自分の意思で、がん検診を受けるしか方法がありません。お金に余裕がある人ならば、高価な人間ドックもいいでしょう。保険適応ではないので、5万～10万円くらいかかることも。しかし、イヤなことが短時間で済むという大きなメリットがあります。そこまで予算をさけないという人には、市町村が定期的に行っている、がん検診を利用するのがおトクです。また、僕のところのような町医者のクリニックでも、がん検診は毎日やっています。自分の誕生月に必ずやるような真面目な人もいます。

しかし、がん検診が万全か？　と言えばそうとは言い切れません。ここでは、がん検診でも見落とす可能性のあるがんについていくつか述べましょう。

●スキルス胃がん　↓　進行が早いので、1年に1回の検診では発見できないこともあります。また、スキルス胃がんの早期発見には、実は胃透視（レントゲン）が胃カメラより優れているとも言われています。

●大腸がん　↓　がんが大腸の奥の方にある場合には、便潜血が陰性となることもあります。また、大腸カメラは、ポリープ等がある人は半年ないし1年ごとに行いますが、病変が無かった人は、その後は2年ごとの検査で充分だと思います。

●肺がん　↓　胸部単純レントゲンだけでは、見落とす場合があります。できればCTで、と言いたいところですが、CT被ばくの問題があります。しかし喫煙が最大のリスクですから、喫煙者は、いずれ肺がんだけでなく食道がんにもなる可能性があると考えて、毎年必ず、胸部X線、胃カメラ、腹部エコーを受けてください。

●乳がん　↓　触診だけでは見落とすので、必ずマンモグラフィーを併用してください。閉経前の30~50歳代の女性が要注意です。若い女性への被ばくリスクを疑問視する声もありますが、30代だからこそ、年に一度のマンモグラフィーは有効だと考えます。検診のメリットと放射線リスクを天秤にかけたとき、若い女性ほどやはり検診のメリットが大きいのです。

●膵臓がん、胆管がん　↓　脂っこいものが好きな人（グルメ）や、印刷工場にお勤めの人は要注意。経験が浅い臨床検査技師さんが腹部エコーを行う場合、多くは胆のうを中心に見ているので、早期の膵臓がんや胆管がん等を見逃す可能性があります。また、絶食で臨まないと、膵臓は見えにくいので見落としがあります。

また、個人的には、PET検診はどこまで有効かな？　と少し首を傾げます。僕自身も一度受けたことがありますが、がんでない所があちこち光っていました。がんが光るのではなく、炎症がある場所が光る、と理解しておくべきでしょう。PETは、がんが確定した人の進行度や治療効果の評価のために行うものであり、元気な人が毎年受ける検査ではないと思っています。PET検査で胸が光ったので、肺がんを必死で探しても見つからなかった。しかし1カ月後に胃カメラをしたら、進行した食道がんだったという人がいました。そんなことなら最初から普通に胃カメラをしていたら。しかし、異常な怖がり屋さんや、検診嫌いな人にはいいかもしれません。たまたまPET検診を受けて命が助かったという人も、いくらでもいます。要は人によっては無駄・過剰になる可能性がある検査です。

これって本当!?

がんは、本物のがんと〈がんもどき〉の2つに分けられる!?

「近藤医師に多少大袈裟な言説があることはなんとなくわかってきました。だけどやはり、今の長尾先生のお話を聞いたうえでも、私は抗がん剤治療をやりたくはありませんし、手術も受けたくはないです。長尾先生も、部分的には近藤誠理論を認めておられるところもあるようですし……」

――ちょっと待ってください。近藤誠理論の何が最大の問題か？　核心はここからです。今あなたが言った言葉のなかに、実は答えがあるのです。

「今の私の言葉に？　仰っている意味がわかりませんが」

――あなたは今、抗がん剤治療は絶対にやりたくない。手術ももちろん受けたくはないと言った。近藤氏の本を読んでいてそこが一番、腑に落ちない点なのです。

彼は、がん治療という枠組みのなかで、手術も抗がん剤治療もほぼ同列に否定をされているでしょう？　手術も抗がん剤もどちらも無意味であると。僕にはどうしても、そこが解せない。外科手術というのは局所療法なのです。

「局所療法って何ですか？」

――つまり、病巣を取り除く医療行為です。それ以上でもそれ以下でもない。局所療法の手術に対して、抗がん剤治療（化学療法）というのは、全身治療。全身の細胞に作用するものです。手術と抗がん剤治療は、まったく違うものです。それを同じ理論でどっちも否定していることが、ナンセンスです。ところで、どちらも拒否をしたいというあなたは、肺がんのステージⅡですよね。

「はい。ⅡＡと言われました」

――ステージⅡＡという状態は、原発巣のがんの大きさは３㎝以下、原発巣と同じ側の肺門のリンパ節にがんの転移を認めるが、幸いにも他の臓器には転移を認

非小細胞肺がんの治療方針

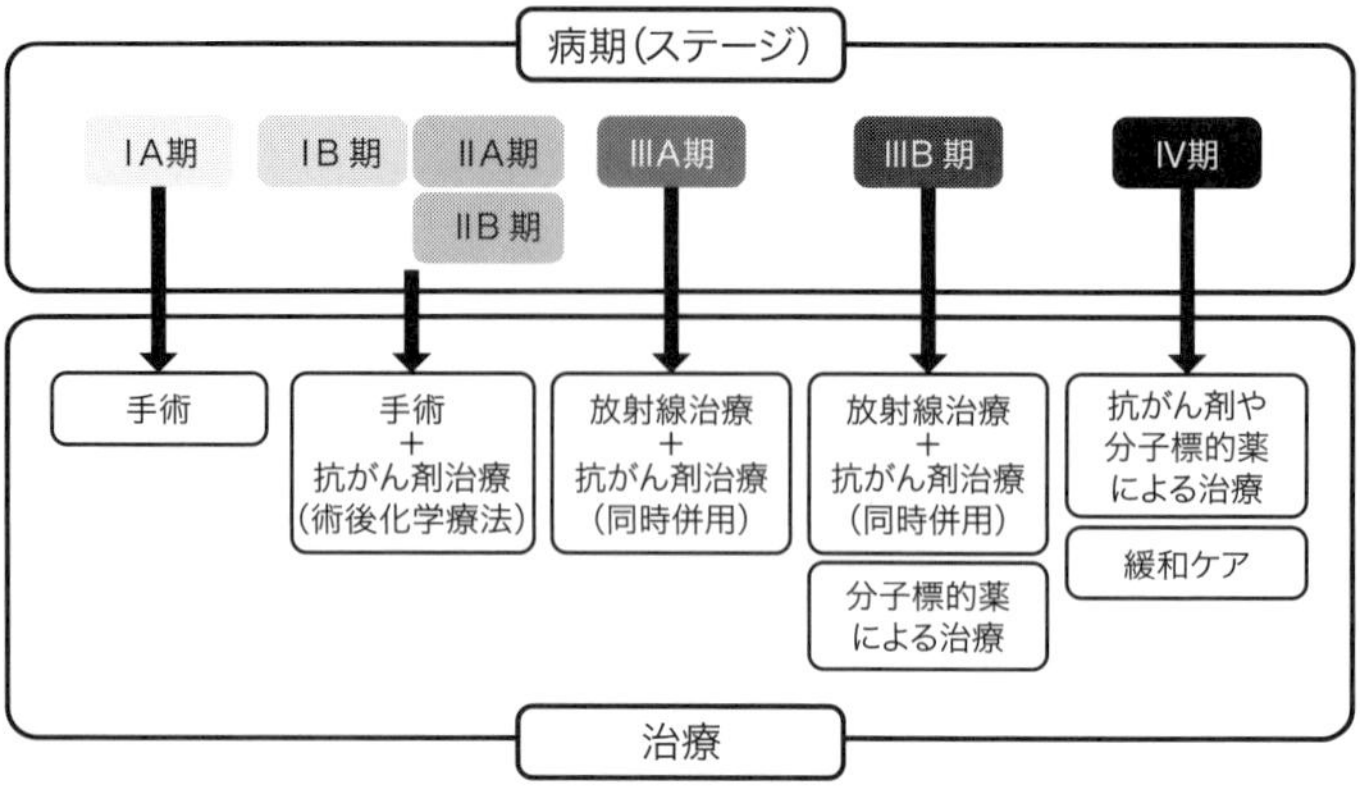

「非小細胞肺がんの治療方針」出典：http://ganclass.jp/kind/lung/select/select01.php

○非小細胞肺がんの場合、がん病巣の広がり具合で病気の進行を潜伏がん、0、I、II、III、IV期のステージに分類する。

0期：　がんは局所に見つかっている、気管支を覆う細胞の細胞層の一部のみにある早期の段階。

IA期：　がんが原発巣にとどまっており、大きさは3cm以下。リンパ節や他の臓器に転移を認めない段階。

IB期：　がんが原発巣にとどまっており、大きさは3cmを超えるものの、リンパ節や他の臓器に転移を認めない段階。

IIA期：　原発巣のがんの大きさは3cm以下であり、原発巣と同じ側の肺門のリンパ節にがんの転移を認めるが、他の臓器には転移を認めない段階。

IIB期：　原発巣のがんの大きさは3cmを超え、原発巣と同じ側の肺門のリンパ節にがんの転移を認めるが、他の臓器には転移を認めない段階。あるいは、原発巣のがんが肺を覆っている胸膜・胸壁に直接およんでいるが、リンパ節や他の臓器に転移を認めない段階。

IIIA期：原発巣のがんが直接胸膜・胸壁に広がっているが、転移は原発巣と同じ側の肺門リンパ節まで、または縦隔と呼ばれる心臓や食道のある部分のリンパ節に認められるが、他の臓器には転移を認めない段階。

IIIB期：原発巣のがんが直接縦隔に広がっていたり、胸膜へ転移をしたり（胸膜播種といいます）、胸水が溜まっていたり、原発巣と反対側の縦隔、首のつけ根のリンパ節に転移しているが、他の臓器に転移を認めない段階。

IV期：　原発巣の他に、肺の他の場所、脳、肝臓、骨、副腎などの臓器に転移（遠隔転移）がある場合。

めていない段階。ならばやはり、外科手術を選択するべきだ。

「いえ、それは間違いです。リンパ節に転移があった時点で、私は残念ながら、〈がんもどき〉ではなく、本物のがん。だから、もはや闘っても無意味なのです」

――驚きました。マスコミで働いているはずのあなたは、心底、近藤教の信者なんですね。いえ、驚きを通り越して半ば呆れています。

「そんな言い方……長尾先生のことを尊敬していたのに、ちょっと残念です」

――やめようか、もう。僕だって忙しいんだよ。取材なのか個人相談なのかもわからない話に、これ以上時間を割く暇はない。

「いえ、ごめんなさい。続けてください。言い過ぎました」

――つまりあなたは、近藤誠理論の一番の核になる部分、がんは「本物のがん」

と〈がんもどき〉に分けられる。転移がなければ、〈がんもどき〉だから、治療の必要性はなし。転移があれば、「本物のがん」であり、何をしたってもはや助からない。だからやっぱり治療をしても無駄である。という理論を信じているということですね？

「当然です。近藤医師による一番の発見が、〈がんもどき〉理論でしょう？」

——転移がなければ〈がんもどき〉と断定するところが、まずおかしい。転移がない、ではなくて、あくまでも「転移が見られないがん」というだけの話ですよ。たとえステージⅠであってもね。目に見える転移がないということで、本当に転移がゼロかどうかは、誰にもわからないのです。

「今、長尾先生が言っていることは、近藤誠理論と矛盾しません。どんなに小さな転移だったにせよ、そのときは本物のがんというわけです。だから手術は無意味なのです。私は、ステージⅡＡですでにリンパ節に多少の転移がある。つまり、本物のがんです。だから早晩死ぬ運命は免れないでしょう。それならば、臓器を取っても無意味だし、無駄に傷つけてがん細胞を暴れさせ、かえって寿命を縮めるだけです。だから手術もやらないし、死ぬ運命だから、無駄に苦しみ、かえってＱＯＬを下げることになる抗がん剤治療もやりたくないと言っているまでです。すごくシンプルな考え方だと思いませんか？」

――つまり、どっちに転んでも近藤誠理論は正しくなる。それを僕は、以前の著書で**「〈がんもどき〉理論は後出しジャンケン」**と言った。そうしたら、あなたのような信者から「医者のくせにがんをジャンケンに喩《たと》えるとは不届きな！」と怒られた。でもこれ以上、適切な比喩はないと今でも思っています。

「近藤医師ご自身も、長尾先生の後出しジャンケン論には著書で異を唱えていますよ。〈がんをジャンケンに喩える人は、がんに勝ち負けがあると思っているのでしょう。しかし、転移のなかった人が勝者で転移があった人が敗者という考え方は不適当である。そうではなくて、がんもどき理論というのは、がんと診断された人がその後どう行動すればいいかの判断を助けるための考え方に過ぎないと。がんもどき理論にとっては、その人のがんが本物かがんもどきかは、実はどちらでもいい〉と」

――あなた、今自分で説明したことの主旨、本当にわかるか？　自分で何十年もかけて理論立てておいて、「本物のがんか〈がんもどきか〉は、患者にとってどちらでもいい」って言ってのけるって、どういうこと？　「〈がんもどき〉理論は判断を助けるための考え方」って、何を判断するためですか？

「だからそれは、患者がどう行動すればいいのかという……」

――だって、どちらにしたって手術も抗がん剤も無意味だと近藤さんは言っているんだよね？　それから何を判断し、何を助けてくれるわけ？　僕には、今あなたが言ってくれたことのどこが「後出しジャンケン」という比喩の反論になっているのかさっぱりわからない。断じて僕は**がんの勝ち負けを指して後出しジャンケンと言ってなんかいません。どちらに転んでも否定されることのない〈がんもどき〉理論そのものを「後出しジャンケン」と言っているだけ**であって、反論のすり替えが甚《はなは》だしい。その本の編集者が無能なのか、それとも近藤氏がこの通りに言ったのだとしたら詭弁ですよ、まったくの！
確かに放っておいても転移をしないがん、近藤さんの言う〈がんもどき〉のような状態はいくらでも存在します。では、近藤さんの何が間違いかと言ったら、がんが見つかったときから、「本物のがん」と〈がんもどき〉の2種類に明確に分けられるというのが、さらに2種類だけしかないという主張が間違いなのです。分けられるわけがない。その間がいくらでもある。僕は〝グラデーション〟と形容しましたが、経過のなかでがんは二極の間を揺れ動くのです。

近藤理論の検証⑥

〈がんは「本物のがん」と〈がんもどき〉の2つに分けられる！〉

長尾の答え↓×　大きく×を3つつけたいほどの間違いです。〈がんもどき〉と本物のがんの間にグラデーションがあり、2つになど分けられません！

これって本当⁉

暴れずにじっとしている「がん」もある⁉

「では長尾先生は、がんもどきはあるけど、本物のがんと、2種類に分けられるという近藤先生の理論に反対なのですね？」

——そもそも〈がんもどき〉は近藤誠さんの造語でしょ？　確かに、〈がんもどき〉という比喩がピッタリの病変があることは紛れもない事実です。だけど、「本物のがん」と〈がんもどき〉の2つに明確に分けられる、その2つしかないのだという近藤理論が大きな間違いです。

「それでは、長尾先生のなかでの〈がんもどき〉のイメージはどういうものなのですか？」

――あえて近藤氏の言葉を借りて〈がんもどき〉というものを僕なりに考えるのであれば、「放っておいても死なないがん」のことです。すべてのがんを「本物のがん」と〈がんもどき〉の2種類に分けられるというから、わけがわからなくなるのであって、〈がんもどき〉だって本物のがんですよ。がん細胞がそこに潜んでいるのならば、それはがんです。悪性の腫瘍ということです。

「すなわちそれは、転移がなかったがん、ということですか?」

――転移があっても、死なければ〈がんもどき〉と呼んでもいいのではないか。だけど、それは近藤氏の主張とはまったく違う話です。

「えっ? 転移があっても、がんで死なないことってあるのですか? 確かに近藤医師も、大腸がんのケースでは例外があると仰っていますが」

――昔の近藤氏はそんなことは言っていなかったはずだ。固形がんかつ本物のがんならば、何をしたところでいずれ亡くなると。だけど20年前と違って昨今は、特に大腸がんにおいて有効な抗がん剤治療が多く出てきたものだから「例外」を提示せざるを得なくなったのだと思います。近藤氏の持論の根本はぶれていないものの、手術や抗がん剤の成果が見られるがんについては、近藤氏にとっては不都合な現実となってしまい、「例外」という言葉で片付けておくしかない。おそらくあと10年も経てば、近藤理論は「例外」だらけになって、とてもじゃないが共感できる人もぐっと減るはずです。だからといって、「近藤理論なんて無視をしておけばいい」、という医療者たちの態度も、それはそれで不都合な現実を無視していることになりはしないだろうか。科学というのは、全否定からは何も前には進みはしない。

転移があっても死なないがんは、他にもいくらでもあります。前立腺がんとか、乳がんなどの場合には特にそうです。全身に転移していても、がんでなかなか死なないことはあります。寿命のほうが先に来てしまうがんは〝天寿《てんじゅ》がん〟と呼ばれています。

「では、そういう人は、何で死んでいくのでしょうか？」

――ほかの病気で亡くなるということです。たとえば心筋梗塞や脳卒中で。

「それは、がんの末期だったけれど心筋梗塞や脳卒中を起こして急死したということですか？　つまり、たまたま、がんで死ぬよりも先に、がんではない病気が急激に悪化して死んでいくと？」

――うーん、なんて言うかな。一概にそうとも決められないのです。たとえば、全身にがんが転移していたなら普通は、「末期がん」だと思いますよね。

「……違うのですか？」

――そもそも「末期がん」とは何か？　ということから考え直したほうがいい。先ほど、ステージⅣ＝末期がんではない、と申し上げました。ステージⅣのがんとは、リンパ節の遠隔転移や、他臓器や骨や脳にまで転移しているがんのことを言います。

「私の母もそうでした。乳がんから最後は腰椎と骨盤に骨転移を起こしました。咳やくしゃみをするだけで、骨折したかと思うほどの激痛が走ると言って苦しみました。私が今回診断を受けた肺がんも、骨転移を起こしやすいがんだと言われています」

——乳がんのステージⅣだとしたら、5年生存率というのは、約30％と言われています。この時点で医師から「余命1年」という宣告を受けることも少なくありません。しかし、こうした状態で骨転移をはじめ全身に何十カ所も転移した状態で、10年近く、なんともなく生きているという人も存在するのです。

「転移を起こしているのにステージⅣでその後10年ですか？　転移をしているから……それは本物のがんなのに？　そんな人がいること自体、信じられません」

——もちろん、近藤氏に言わせれば「本物のがん」ですよ。だけど、全身に転移をした後で、がん細胞がじっとしているっていうのかな。そういう状態で長く生きる人も現実におられるのです。だから僕は、転移しないもの＝〈がんもどき〉ではなくて、放っておいても死なないがん＝〈がんもどき〉的なもの、だという考え方はできるのではないかと思います。

「それは、乳がんだけに限ったものですか？　乳がんというのは、比較的進行がゆっくりとしたがんですし、特別にそういうケースがあってもおかしくないのでは？」

――確かに乳がんの進行は遅い場合があります。でも先の話は乳がんだけに限った話ではありません。甲状腺がんや、前立腺がんでもそういう例はたくさんあります。転移があっても、あまり大きくもならないのなら、一生放っておいても死なないのです。でもそれは、近藤氏の言うところの「本物のがん」であるはず。だって転移があるのだから。

「本物のがんであっても、死なない？」

――今話題の腸内フローラで喩えてみましょう。人間の腸内には、およそ100

兆個もの腸内細菌が棲んでいます。善玉菌と悪玉菌という言葉を聞いたことがあるでしょう？　しかし健康な人の場合、腸内細菌の7割は「日和見菌《ひよりみ》」なんです。日和見菌というのは文字通り、善玉金が優勢だと良い働きに加担しますし、逆に悪玉菌が優勢になると、そっちに加担して悪さをしでかす。さらに言えば、善玉菌のなかにも他の菌と作用することで悪玉に転がる奴もいるし、逆に、善玉と手をつないだことで良い働きを手伝う悪玉だっているんですよ。

「それってなんだか、我々人間社会と同じ構図ですね（笑）」

――そうなんです。不思議なことに、**体内にいる細胞世界と人間社会というのは非常に良く似ている。相似形（フラクタル）なんです。**

だけど、近藤氏の理論は、人間社会には「生まれつきの善人と悪人しかいない。善人は一生悪いことをしないし、悪人は、誰がどう諭《さと》しても、善人にはなれないんだ」と言っているようなものです。「ヤクザは生まれたときから一生ヤクザだよ。悪事ばかりで良い事なんてしないよ」って言う評論家がいたら、山口組の方々が黙っちゃいないと思うけどねえ。

「それは比喩が飛躍していますよ。がん細胞は違うでしょう？」

——ヤクザ（がん）というレッテルを貼られても悪さをしない、優しいヤクザ（がん）っていうのがいるのですよ。つまり暴れずに、ただじっとしているがん細胞というのがね。体のなかは人間社会と同じくらい複雑な仕組みになっています。だけど近藤誠氏の本を読むと、つまるところ、〈がんもどき〉はずっと悪さをしないし、「本物のがん」はどう治療しようとも治らないから死ぬしかない、という極めて単純な二元論に落とし込んでいるのです。

あなたはさっき、近藤理論はすごくシンプル、と褒めたけどつまりそれは、**「無理やりに単純化している」**ということなんだ。人間は、すぐにそうした二元論に飛びつきたがる。わかり易いからね。ポピュリズム政治も賛成か反対かに落とし込んでいくと扇動できるからね。イスラムは悪、アメリカは善みたいに。二元化すると、自分であまり考えなくてもいいから楽なんですよ。

これって本当⁉

良い医者、悪い医者の見分け方がある⁉

「では私も、がんで死なない可能性もあるのですね。本物のがんだけど、暴れずにおとなしくしていてくれる可能性も否定できないと……じゃあ尚の事、外科手術の意味なんてないですよね？」

——だからさあ、なんですぐに断定するの？　そうだ、あなたに良い医者と悪い医者の見分け方を教えてあげようか。治療において、「〇〇は絶対にいい」「〇〇は意味がない」「〇〇だけはするな！」と断定口調でモノを言う医者は悪い医者です。医療の世界は常に日進月歩。それまでの医学常識がある日突然、覆されることなんていくらでもある。医学の歴史を振り返ればその繰り返し。しかしその時代時代に絶対的に正しいと信じられていることを根拠に、医療は紆余曲折を経ながら発展してきた。だからさまざまな可能性を加味して患者さんと向き合う医者は、決して断定口調では語らないものだと思いますがね。

「それならば、手術しなければ絶対に治らないという医者だって、断定口調の悪い医者という話になりませんか」

――それは、あなたが頑迷固陋《がんめいころう》な近藤信者だから、医者が仕方なくそういう言い方をしている面もあるでしょう。

「勝手に信者だなんて断定しないでいただけますか。それこそ決めつけです」

――あなたはどう見たって〝信者さん〟でしょう？　近藤誠理論に大切な自分の命を預けているのですからね。理論を単純化すればするほど、彼の言葉には強烈な魔力が備わった。ある意味、凄い人です。僕だって、極論化するまでは面白いと思って見ていた。だけどある時期から、彼は暴走し始めたように思う。しかし、医師はね、あらゆる病気を１００％断定なんてできません。「わからない」と正直に言える医者が、実は良い医者なのです。

ちょっと一息

町医者だから知っている、がん患者さんの現実…

～医者はどんなふうにがんを告げるのか？～

取材に来る記者さんから、よくこんな質問を受けます。

「長尾先生は、がんを見つけたとき、その患者さんに、どんなふうに告げるのですか？」と。

セオリー通りの伝え方なんてありません。ご家族が一緒にいる場合、また、若い患者さんの場合、後期高齢者以上の患者さんの場合、はたまた、ステージⅠで見つかった場合と、ステージⅣで見つかった場合では、自ずと伝え方も変わってきます。がんであることを伝える、すなわち「バッドニュースの伝え方」というテーマで本が一冊できそうなくらいに、難しい問題です。

がんを見つけて、その場ですぐに「がんです」と伝える場合と、あえて伝えない場合があります。本当は優しくゆっくり説明したいところですが、必ずしもそうできない場合が多いのです。なぜか？

キーワードは、本人ではなく、〝ご家族〟です。

「なぜ、親父にがんを宣告したんだ！」と、後から怒鳴りこんで来る息子さんがいるからです。そういう方はたいてい、「がん宣告＝死」だと思っているので、家族に黙って、医者が勝手に親に死の宣告をした、と思い込んでおられるのです。しかし今どき、よほどボケてでもいない限り、本人は自ずと、がんだとわかる時代です。百歳の方でも、「自分はがんです」と普通にお話しする時代なのに、子供には、偏見があるようです。

ですから、がんだと判明しても、私は急いで直接的な説明はしないように心掛けています。後日に、ご家族を呼んで一緒に説明する場合と、別々に説明する場合があります。本人より先に伝えないと、怒る家族も多いのです。しかし反対に、先にご家族に説明すると、本人が「なんで私が先じゃないのか！」と激怒する場合もあります。

どちらのパターンなのかを診察室でお話しながら探り、最初の説明の相手を決めていきます。まずは、「がんの可能性があるので、もう少し詳しく調べてみませんか？」と切り出して反応を見ることが多いです。

医師である僕は、がんがあるかないかということよりも、どのステージ（進行度）なのかの方がずっと気になります。ですから、画像診断で遠隔転移まで調べて、暫定的でもステージを推定するのです。

当たり前ですが、もし早期がんであれば、それはバッドニュースではなくグッドニュース。「こんなに早く見つかって良かったですね。早いに越したことはない。ラッキーですね」となり、説明をするにはむしろ好条件となります。

しかし進行がんの場合、説明の仕方を聞かれたら、少々悩ましいものです。先述したように、説明の仕方をご家族と十分に相談してから、ご本人に説明することが多いです。特に、ステージⅣで遠隔転移が見つかった場合の説明は、まさにケースバイケースです。

●がんの治療をするか、しないか?
●そもそも、なんのための説明なのか?
などを考え、顔色を見ながらゆっくりお話をします。

がんの治療は、「年齢」「認知症や理解力の程度」「がんの臓器」「がんの種類」「がんの悪性度」「がんの進行度」「今後、予想される療養形態」などにより、さまざまな選択肢があります。三大治療をするにせよ、施設によってやり方がかなり違うことがあります。先進医療や代替医療を併用する方も少なくありません。従って、予想される今後の医療によって、伝え方が180度変わることがあります。想像してみてください。「30歳のステージⅣのスキルス胃がん」と、「90歳の高度認知症の方の進行胃がん」では、予想される療養状況は、まったく異なるのではないでしょうか。

最初にがんを見つけた僕の説明の仕方一つで、今後の療養方針が大きく変わる可能性があるので、責任を噛みしめながら説明します。あらゆる可能性を想定しながら、です。

スイスの精神科医だったエリザベス・キューブラー＝ロスの〈死への五段階説〉については、御存じの方も多いことでしょう。人が死を受け入れるまでには、五段階の経過を踏むという説です。

①否認——自分が死ぬということはありえない、と否定する段階
②怒り——なぜ自分が死なねばならないのかと、怒りを周囲にぶつける段階
③取引——どうにかして、死なずに済むように、神や仏にすがったり、何かを捨てることで、取引をしよう試みる段階
④抑うつ——上記の段階を経て、それでも自分が死ぬ運命を免れないと悟った時、無力感に陥って、うつ状態になる段階
⑤受容——いよいよ間近に迫りつつある死を静かに受け入れる段階

しかし、必ずしもすべての人がこの段階を踏むわけではありません。ずっと①のままの人もいれば、いきなり④から⑤となる人もいます。その人が持っている死生観と大きく関係してくるのです（このあたりのことは、拙著『長尾和宏の死の授業』という本で詳しく述べました）。

僕は、がんの説明をするときに、ご本人とご家族が、①〜⑤のどの段階まで行けそうかな、なんて想像しながら、顔色を伺いつつ、言葉を選びます。万一ですが、突然④の状態で自殺企図される方もいるかもしれないのです。

ですから、私は「告知」という言葉を使いません。その昔、がんが治らない時代だったから、他の病とは違うもの、という意味を込めて「告知」という言葉が使われたのでしょう。しかし、がんがいくらでも治る現在においては、そんな大袈裟な言葉を使う必要はない。「説明」という言葉がふさわしいと思っています。

これって本当⁉

どんな名医でも、がんの診断を間違えることはある⁉

「昔ならばいざ知らず、これだけ医療技術が発達したにもかかわらず、病名を100％断定できないのはどうしてなのですか？」

――そういうものなのですとしか答えられません。レントゲンの画像診断、細胞診、外科の見立て、内科の見立て、カンファレンス等々で、「99％、これはがんである」と診断して、外科手術をして、実際に取ったものを後から調べたら「がんではなかった！　ごめんなさい」、ということがときにあります。

「そんなの、許せませんよ。だから外科手術なんて、絶対にイヤなんです」

――確かに患者さん側からしたら、許せないでしょう。だけど医療とはそういうものです。１００％正しい診断がつくということが幻想です。**医療というものは、いつも不確実性のなかにあるということを患者さんも理解してくれないと、医療側との温度差はいつまで経っても縮まらない。**がん医療に誤診率が多いという話も事実です。アメリカのあるデータでは誤診が1割あるとも言われています。

「ほら、やっぱりそうでしょう。1年間にがんと診断される人が、我が国では約98万人以上いると言われています（＊２０１5年予測　国立がん研究センター調べ）。その1割といったら相当な数です。それでもエラそうに手術をやれ、抗がん剤治療を受けなさいって……だからやっぱり、医療なんて信じられないのです！」

——しかし、世の中に１００％確実に信じられるものなんてどれだけありますか？　政治のなかにありますか？　仕事のなかにありますか？　家族のなかにありますか？　ましてや医療は千差万別の生身の人体を相手にしているんですよ。たとえ1割が誤診というデータがあったとしても、あなたはそれを、手術を受けない理由にするのですか？　雨の確率が90％と出ているのに、傘を持たないで出かける人と同じくらいバカな話です。

「医療者側ではなくて、患者側がバカだとお考えなのですね」

――僕の高校時代の同級生が健康診断で胸に影があると言われました。精密検査を受けたら、あるがんセンターの専門医が10人とも「がんだ」と言いました。僕も彼のレントゲンとCTを診ましたよ。そして「間違いなく肺がんだね」と言いました。そして医師である彼本人も「そうなんだ。間違いない！」と嘆息した。それで、権威あるがんセンターで手術をした。しかし開胸したら……がんじゃなくて、結核だった。

「は⁉　権威あるがんセンターの医師が、結核の影と、がんの影の区別がつかなかったのですか。ありえない。何でそんなバカげたことが……」

――そんな話はいくらでも転がっています。手術前には病理組織診断を行いますが、組織をうまく取れないことがあるんです。だから、画像診断だけで手術を行う場合もあります。たとえば、腎臓がんなどがそう。「腎臓に腫瘍があります」と画像診断で出て、血管造影とか、何度もＣＴやＭＲＩをやって、まず「99％、がんだろう」と手術しました。でも良性だったというケースはあるのです。肝臓がんにもあるし、肺がんにもある。膵臓だと、慢性膵炎の一種である「腫瘤形成性慢性膵炎」は膵臓がんとの鑑別が、本当に難しいんですよ。

「一番間違えやすい臓器はどこなのですか?」

――一番、というのはないけれど、今申し上げたように、検査しにくい臓器、たとえば膵臓や肺や、腎臓とか、やっぱり細胞が直接取れないところが、判断に迷う場合があるのです。胃がんであれば、胃カメラで細胞をサクっとかじってきて、それを直接顕微鏡で診ることができるけれども。でも、脳腫瘍だったら脳みそをかじるわけにはいかないし、腎臓がんもそんな簡単にかじることができない。肺も、気管支鏡検査というのをやるけれど、胃カメラほどうまくはかじれない。現段階では、これは仕方のないことなんです。

「私も気管支鏡検査、やりました。苦しかったですね。でも、正しくできているとは限らないんですね」

ちょっと一息

町医者だから知っている、がん患者さんの現実…

〜未承認の抗がん剤を使うにはどうすればいいか?〜

先日、卵巣がんと闘ってきた患者さんのご主人から、こんな相談を受けました。

「保険適応の抗がん剤ではもう効果があるものが見当たらないようです。妻を死なせたくない。インターネットで検索したところ、未承認抗がん剤の記事がいろいろ載っていましたが、どうすればそうした抗がん剤を試すことができますか?」

未承認抗がん剤、つまり、アメリカなどでは効果が確実に認められているけれど、まだ日本では認められていない抗がん剤ということです。

たとえ未承認であっても、主治医から「打つ手なし」、と言われたら、誰でも同じような気持ちになるかもしれません。患者さん本人はもういい、もう頑張れない、と思っていても、「愛する妻のため、夫のため」とあらゆる手立てを探して奔走する人がいます。もちろん、患者さん本人が必死で探される場合もあります。

外国で認められている抗がん剤が日本で認められるまでに少し時間がかかります。その時間差を、「ドラッグラグ」と言いますが、これは、お役所の認可システムの問題です。

10年ほど前でしょうか、卵巣がんの患者会に参加したときに、当事者の方がこんな講演をされていました。

「アメリカでは卵巣がんに効果が認められている、ジェムザール（一般名ゲムシタビン）という抗がん剤があるのですが、膵臓がんには認められていて卵巣がんはダメ。隣に寝ている膵臓がんの人はその恩恵にあずかれるのに、なぜ私はダメなの？」

患者さんからすれば当然の疑問でしょう。そして現在では、卵巣がんにもジェムザールは保険適応になりました。あの時、なぜダメなの？　と嘆いておられた患者さんが、果たしてジェムザールの恩恵に預かれたかどうかはわかりません。

しかし病院からすれば、未承認の抗がん剤を自費で使うことはできません。自費診療で受ければいいじゃないか、と多くの人は思われるでしょう。しかしこの場合の自費とは、すべての入院医療費全体が自費になるのです。つまり、未承認の抗がん剤治療を受ければ、その薬代だけではなく、入院基本料や検査代などすべての医療費に健康保険が適応されない場合があるのです。これが、我が国の国民皆保険制度の基本原則なのです。それを破れば、今現在、原則認められていない「混合診療」を行ったことになります。腎臓がんで入院中に未承認の先進治療を併用したために、入院医療費の全てを自己負担とされた方が、最高裁まで争いましたが敗訴されるという出来事（2011年10月判決）もありました。

我が国の国民皆保険制度は、世界で類を見ないほど素晴らしい制度ですが、日進月歩のがん治療には、ついて行けていないのが現実です。しかし、こうした先人たちの闘いと知恵で、空気が少しずつ変わってきているようです。

現在、新たな仕組みとして、国会では「患者申し出療養制度」が議論されていますが、事実上の混合診療という見方があり、国民皆保険制度が維持できなくなるという根強い反対意見もあります。というわけで、未承認の抗がん剤を入手し、それを使ってくれる病院を探すには、個人的にインターネットや患者会などを駆使するしかなさそうです。個人輸入の仕方を指南してくれ、それを使ってくれる医療機関も存在します。そうした医師は、製薬会社と深い関係にある医学会とは別の世界にいるようです。

がん治療難民に真摯に向き合っておられる医者（利益目的ではなく）もおられます。それは、自費診療の値段を見れば明らかです。たとえば何百万円もの法外な費用を要求する免疫療法などは、論外です。そうではなく、本当に真摯に向き合っておられる医療機関も存在します。大切なのは、患者さん同士のつながりと、リテラシー。先のジェムザールが卵巣がんで保険適応になったのも、患者さん団体の働きかけがあったからです。試したいと思う気持ちがあれば、道は開けるはずです。

これって本当!?

急いで手術をしなければならない状態はある!?

「私、Aがんセンターから手術日を決めるようにと言われてから、2週間逃げ続けています。何もしないと決めたはずなのに、本音を言えば、日々がんが大きくなっているんじゃないかと、恐怖を覚えているのも事実です。だから、先生は私のことを近藤誠医師の信者だと言うけれども、本当にこれでいいのかどうか戸惑うことは……いくらでもあります」

——病院は皆、そう言いますよ。今すぐ手術をしなければ手遅れになるとね。だけど、あなたはまだステージⅡAでしょう? 2週間や1カ月で、病状が大きく変わるということは、ほぼないはずです。そもそもがんがこうして発見されるまでに、がん細胞が体内に生まれてから5年や10年も経っていると考えられています。それがようやく今、見つかっただけの話であって。

「リンパ節に転移していても、ですか？」

――がん細胞＝相手の兵力が少ないときに、攻撃（治療）したほうが、効率がいいに決まっています。ステージが上がるたびに、がん細胞は増殖しているわけで。がん治療というのは、がん細胞軍団との戦争なわけですから、そりゃ、相手の兵隊が少ないほうが勝ち目はある。当たり前のことですよ。だけど、先月1000人だった部隊が、今月になったらいきなり1000人に増えるということは、まずありません。あなたご自身、1カ月前の自分と、がんと診断された今、体調に大きな変化はありますか？

「特にありません。不安とストレスが増えただけですね」

――そういうことですよ。

「じゃあ、なぜ医師は、一刻を争うみたいな言い方ばかりするのですか？」

――患者さんに悩む時間、他の道を選択する時間を無為に与えたくはないという想いもどこかにあるのでしょうか。それが結果的に患者さんのためになると信じている。そうでないと、ほら、あなたみたいに逃げてしまう患者さんが増えるから。それに、病院だって商売なわけですよ。患者さんはお客さんなのだから、ある意味、さっきお話したパターナリズム、非人道的なインフォームドコンセントが行われてしまうのは否めませんね。

「素人の患者が四の五の言うなと」

――それに、後から訴えられるんじゃないかという恐怖も病院側にはあるのです。数週間の遅れで万が一、手遅れになった場合、家族が後から訴えてくるかもわからない。だから、がんが見つかっても「もう少し様子を見てもいいんじゃないのかな」と言える勇気のある医師は、まずいません。

「ですから、そういう真実を言えるのは近藤医師だけなのです！」

――それはなぜだかわかる？　近藤氏は、決してあなたの主治医ではないから。セカンドオピニオン外来しかやっていないわけだよ。何か起こったとき、責任はあくまでも、主治医に求められるわけですから。世の中、「がんがあったのに、見つけることができずに、それを放っておいて治療を怠ったので損害を償え！」という訴訟はいくらでもあります。**「放置しなさい」と言い張る医師の本がいくら売れても、本当にその通りに「放置」した結果亡くなると、家族から訴えられて、裁判で負けて何千万円もの賠償金を請求されるはず。**だから最近は、あなたのように「治療を拒否したい」と言ったがん患者さんに、放置の同意書を書かせる病院があるほどです。これは最近（２０１５年）毎日新聞の記事でも取り上げられ、医療界でも賛否両輪がありました。僕もこの同意書問題については、ちょっと首を傾げる部分がありますね。でも、病院が守りに入るのは専守防衛ではないが、現状においては仕方が無いのかな。

「医療者側が自分たちを守るために、治療を急がせている部分もあると」

――そういう側面もある、という話です。だって訴えられるわけだから。

くらしナビ ライフスタイル

医師から「治療拒否」同意書

がん社会はどこへ

第1部 迷える患者たち [1]

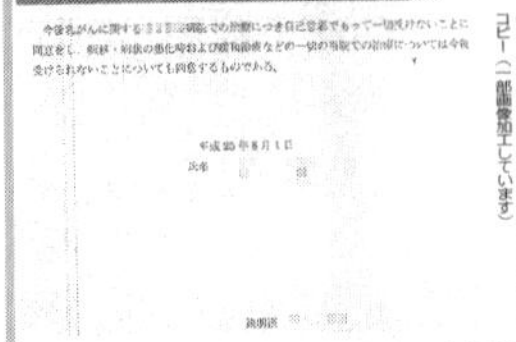

㊤「患者は医師に気持ちを分かってほしいだけなのです」と話す玲子さん＝奈良市内で、三輪晴美撮影 ㊦主治医が玲子さんにサインを求めた「同意書」のコピー（一部画像を加工しています）

「ここにサインをしてもらえますか」

2013年8月、奈良県内にある公立病院の乳腺外来の廊下。3週間前、この病院で乳がんを告知された玲子さん(68)＝仮名＝は、看護師からA4判の紙1枚を渡された。

＜今後乳がんに関する□□病院での治療につき自己意思でもって一切受けないことに同意をし、転移・病状の悪化時および緩和治療などの一切の当院での治療については今後受けられないことについても同意するものである＞

今後、病院が玲子さんの乳がんに関する一切の治療を行わないことを明記した同意書だった。文書の末尾に、男性主治医の名前と押印があった。

3週間前、右乳首からの出血が3日間続き、玲子さんはこの病院の乳腺外来を受診した。診察後、すぐに超音波検査（エコー）を受けたが、主治医は画像を見たまま、「右だけでなく、左にもがんがあります」と淡々と告げた。「両側乳がんで、全摘出手術が必要」と診断されたが、全摘出の理由や詳しい治療方針など十分なインフォームドコンセントはなかった。

●方針反対の直後に

1週間後の再診察。医師は組織検査の結果を告げると、すぐに手術の手続きを進めようとした。日取りもすでに決まっている。拙速な対応に不安を感じた玲子さんは、いったん退室。廊下で夫(68)に相談のメールを送ると、「手術はするな」と返信が届いた。夫と1時間ほどやり取りを続けたが結論は出ず、その日は手術の仮予約だけして帰宅した。

玲子さんの手術をめぐり、夫や長女(42)、長男(38)、兄弟らが集まり家族会議を開いたが、夫だけが猛反対した。がんの告知後、夫は抗がん剤など従来のがん治療を否定する本を読んでいた。迷った玲子さんは、旧知の乳腺外科の開業医を訪ねた。セカンドオピニオンを受けるつもりではなく、ただ相談しようと思った。開業医はエコー検査後、すぐに手術はせず、経口剤によるホルモン治療で経過観察することを勧めた。

年齢を考えれば手術は避けたいし、夫の気持ちにも添いたい。開業医の言葉が背中を押した。

「手術を受けるのはやめようと思います」

数日後、診察室で玲子さんは主治医に伝えた。夫の反対や、ほかの医師の診察を受けたことも話した。主治医は一瞬、驚いた様子だったが、パソコンに向き直ったまま「廊下で待つように」と言った。

看護師から同意書を渡されたのは、その直後だった。玲子さんは戸惑いながらもサインに応じるしかなかった。「看護師からは何の説明もなかった。同意書を取られる理由も理解できないまま、気がつけばサインをしていました」

●病院に報告なく

医師はなぜ同意書への署名を求めたのか。

病院に取材を申し込むと、主治医は退職していた。

「なぜこんな同意書を取ったのか。当然、患者さんには病院を選び、治療を受ける権利があります」。病院の広報担当者は困惑気味に話す。これまでこうした事例の報告はなかったといい、「主治医は実績のある医師だった。『手術をすれば治癒が見込めるのに、なぜしないのか』と思ったのでは。あるいは別の医師の診断結果を聞かされて腹を立てたのかもしれない。いずれにしても、気の毒なのは患者さんです」と話す。

告知から約1年半。玲子さんは現在、相談した開業医の治療を月1回受けているが、今のところ進行の兆しはない。病のことは常に頭から離れないが、介護保険認定の審査委員を務めたり、趣味の水彩画や川柳を楽しんだりして過ごしている。

●納得できぬまま

手術をしなかった自分の選択に後悔はしたくない。一日一日を懸命に生きるだけだ。ただ、主治医の対応には今も割り切れない思いを抱えている。「あのとき、私の目を見て丁寧に説明してもらえれば、夫の反対を振り切ってでも手術したかもしれません。医師には患者の気持ちを分かってほしい。寄り添ってもらいたいのです」【三輪晴美、写真も】

＝つづく

◇

日本人が生涯でがんになる確率は、今や男性の60%、女性の45%に上る（2010年調査）。実に2人に1人ががんになる時代となった。新薬や治療法の研究が進み、国もさまざまな対策を講じているが、果たして「患者が主役」のがん医療は実現しているのか。患者がより良い治療を受けるために、今、必要なことを考える。

インフォームドコンセント

患者が納得して治療を受けるため、医師が患者に病状や治療法を十分に説明し、両者の話し合いを経て治療法を決めること。本来は、話し合ったうえでの合意（コンセント）に重きが置かれるが、日本では医師が一方的に治療法を説明するだけ、あるいは説明後、選択は患者に任せる場合が多いのが実情とされる。

セカンドオピニオン

患者が治療を受ける際、主治医以外の医師に意見を求めること。患者は、まず主治医に申し出て、検査結果などの情報を提供してもらう必要がある。日本では2000年代以降、セカンドオピニオン外来を開設する病院が増え、制度として広く知られるようになった。近年は患者の権利として浸透しつつあるが、主治医への遠慮から「言い出しにくい」という患者もまだ多い。

毎日新聞　2015年02月10日の記事より

がん社会はどこへ：医師から「治療拒否」同意書

「ここにサインをしてもらえますか」

2013年8月、奈良県内にある公立病院の乳腺外来の廊下。3週間前、この病院で乳がんを告知された玲子さん（68）＝仮名＝は、看護師からA4判の紙1枚を渡された。

〈今後乳がんに関する□□病院での治療につき自己意思でもって一切受けないことに同意をし、転移・病状の悪化時および緩和治療などの一切の当院での治療については今後受けられないことについても同意するものである〉

今後、病院が玲子さんの乳がんに関する一切の治療を行わないことを明記した同意書だった。文書の末尾に、男性主治医の名前と押印があった。

3週間前、右乳首からの出血が3日間続き、玲子さんはこの病院の乳腺外科を受診した。診察後、すぐに超音波検査（エコー）を受けたが、主治医は画像を見たまま、「右だけでなく、左にもがんがあります」と淡々と告げた。「両側乳がんで、全摘出手術が必要」と診断されたが、全摘出の理由や詳しい治療方針など十分なインフォームドコンセントはなかった。

●方針反対の直後に

1週間後の再診察。医師は組織検査の結果を告げると、すぐに手術の手続きを進めようとした。日取りもすでに決まっている。拙速な対応に不安を感じた玲子さんは、いったん退室。廊下で夫（68）に相談のメールを送ると、「手術はするな」と返信が届いた。夫と1時間ほどやり取りを続けたが結論は出ず、その日は手術の仮予約だけして帰宅した。

玲子さんの手術をめぐり、夫や長女（42）、長男（38）、兄弟らが集まり家族会議を開いたが、夫だけが猛反対した。がんの告知後、夫は抗がん剤など従来のがん治療を否定する本を読んでいた。迷った玲子さんは、旧知の乳腺外科の開業医を訪ねた。セカンドオピニオンを受けるつもりではなく、ただ相談しようと思った。開業医はエコー検査後、すぐに手術はせず、経口剤によるホルモン治療で経過観察することを勧めた。

年齢を考えれば手術は避けたいし、夫の気持ちにも添いたい。開業医の言葉が背中を押した。

「手術を受けるのはやめようと思います」

数日後、診察室で玲子さんは主治医に伝えた。夫の反対や、ほかの医師の診察を受けたことも話した。主治医は一瞬、驚いた様子だったが、パソコンに向き直ったまま「廊下で待つように」と言った。

看護師から同意書を渡されたのは、その直後だった。玲子さんは戸惑いながらもサインに応じるしかなかった。「看護師からは何の説明もなかった。同意書を取られる理由も理解できないまま、気がつけばサインをしていました」

●病院に報告なく

医師はなぜ同意書への署名を求めたのか。

病院に取材を申し込むと、主治医は退職していた。

「なぜこんな同意書を取ったのか。当然、患者さんには病院を選び、治療を受ける権利があります」。病院の広報担当者は困惑気味に話す。これまでこうした事例の報告はなかったといい、「主治医は実績のある医師だった。『手術をすれば治癒が見込めるのに、なぜしないのか』と思ったのでは。あるいは別の医師の診断結果を聞かされて腹を立てたのかもしれない。いずれにしても、気の毒なのは患者さんです」と話す。

告知から約1年半。玲子さんは現在、相談した開業医の治療を月1回受けているが、今のところ進行の兆しはない。病のことは常に頭から離れないが、介護保険認定の審査委員を務めたり、趣味の水彩画や川柳を楽しんだりして過ごしている。

●納得できぬまま

手術をしなかった自分の選択に後悔はしたくない。一日一日を懸命に生きるだけだ。ただ、主治医の対応には今も割り切れない思いを抱えている。「あのとき、私の目を見て丁寧に説明してもらえれば、夫の反対を振り切ってでも手術したかもしれません。医師には患者の気持ちを分かってほしい。寄り添ってもらいたいのです」【三輪晴美】

◇

日本人が生涯でがんになる確率は、今や男性の60％、女性の45％に上る（2010年調査）。実に2人に1人ががんになる時代となった。新薬や治療法の研究が進み、国もさまざまな対策を講じているが、果たして「患者が主役」のがん医療は実現しているのか。患者がより良い治療を受けるために、今、必要なことを考える。

これって本当!?

がんの手術をしても寿命が延びたというデータはない!?

「しかし、近藤医師はこうも言っています。手術をしたら寿命が延びたという証拠やデータは実はないと」

――何を持って明確なデータとするか。確かに寿命が延びたかどうかのデータは取れないでしょうね。

「やっぱりデータはないんだ!」

――間違えないでください、データがないから近藤氏が正しい、と言いたいわけではない。そんなことを持ち出すこと自体が、詭弁です。「人間が空中浮遊はできないということを証明するデータはない」ということと本質的には一緒です。

たとえば、似たような状態の病変のあるがん患者さんを1000人集めたとしましょう。その1000人をクジ引きで「あなたは手術しません」「あなたは手術します」の2群に分ける。で、5年後に生きているかどうか、経過を500人ずつ追跡調査しましょうと。そんな人体実験みたいなこと、現実にできると思いますか？　同じ病変、ほぼ似たような状態の人を5人ずつならば可能かもしれない。だけどそれでは医療の世界では正しいデータとは言えないのです。最低でも数百人規模の比較試験が求められる。命に別状のない比較試験を行うことは可能です。しかし、命とかかわる、がん手術というものに対し、無作為に500人に「手術をさせない」なんていう非人道的なことができるわけがありません。

「データがない≒それが正しくない、とは医学的には言えないと？」

――当たり前です。医学だけではなく、どの世界だって同じです。小学生にだってわかりそうなそんな詭弁を、いい大人が皆信じちゃう。その背景には、医療が何かにつけ「エビデンス主義」になってしまったということが一因にある。**その意味をよくわかりもせずに「エビデンス」という言葉だけを盲信する市民やマス**

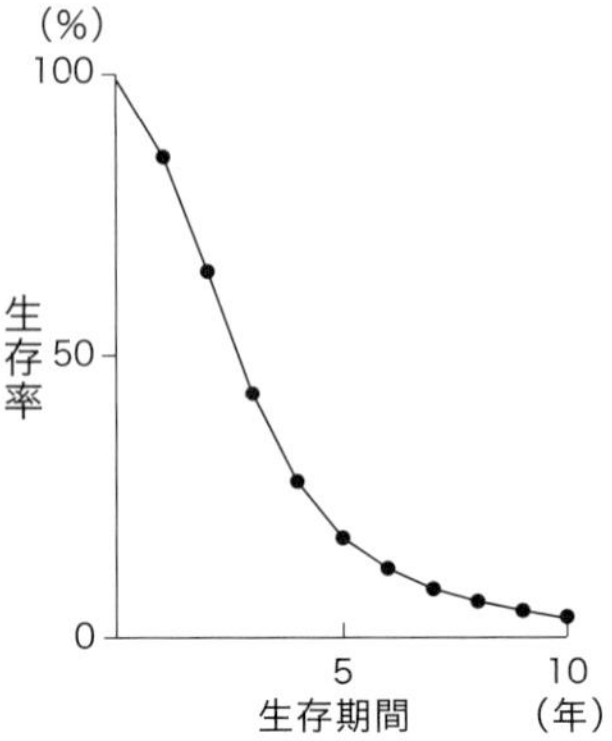

乳がん生存率曲線（自然経過群）

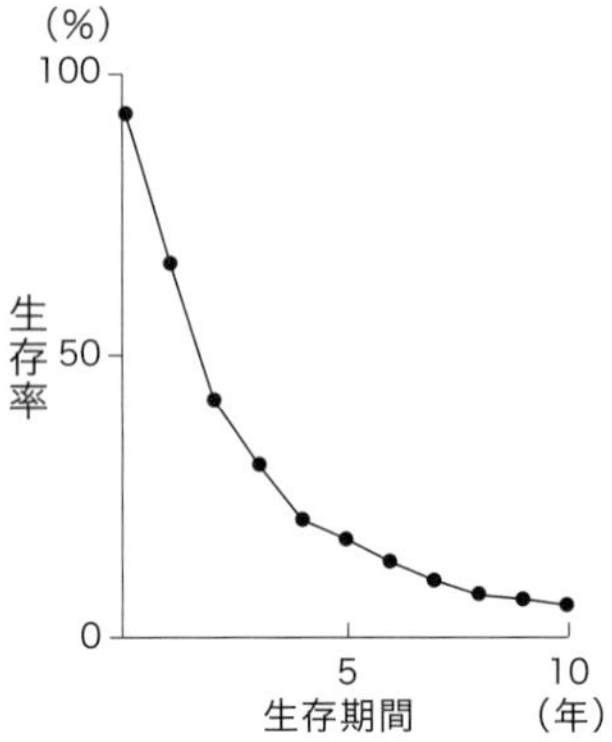

乳がん生存率曲線（全摘手術群）

「がん治療で殺されない七つの秘訣」（文春新書）で近藤 誠氏が示したグラフ

コミほど、そうした詭弁に目がくらんでしまうのですよ。

「本当にそうでしょうか。納得がいきません。たとえば、近藤誠先生が著書で掲げているこのグラフを見てください。先ほど先生は、手術した人／しない人のグラフなんてありえないと言ったけど、ここには乳がん患者の手術群と自然経過群のグラフがちゃんとあります。生存曲線も出ています。これによると多少ですけれども、乳がんによっては自然経過のほうが苦しまないし、寿命も延びているということは証明されています」

——この二つのデータに差があるかどうかというのは、有意差検定という統計処理をしなくてはいけない。被験者の個人的データ、背景の説明も一切この本には書かれていないでしょう?

たとえば、80代の乳がんの人と30代の乳がんの人を一緒にしている可能性もある。そこに余命の差が出るのは当然です。まったく同じ条件、病態の人間を揃えなければ、こうした寿命のグラフは意味を成しません。

しかも乳がんにはさまざまなタイプがあって、がん細胞の質がまったく違ってくるわけです。そうした一定の条件の患者さんで調査が行われたかどうかの詳細な記述がない限り、このグラフの科学的解釈は変わってくる。そんなこと、近藤誠氏自身がいちばんわかっているはずなのに。あの方は、僕と正反対で本当に頭脳明晰です。慶応の医学部を主席で出られたらしい。そんな天才か秀才が、うっかりこんな不備だらけのデータを本に載せてしまうこと自体が、僕には不思議でならないのです。

これって本当⁉

おとなしかったがんが、手術で暴れ出す⁉

「なんだか、〈がんもどき〉理論がよくわからなくなってきました」

――まあ、わからないでしょうね。

「何を信じていいのかも、わからなくなってきました」

――騙されたことに気が付いた人間とは、得てしてそういうものです。

「もう少し、教えてください。私が、手術をしたくないもう一つの理由。それは、近藤医師の本には、もしも本物のがんだったとしたら、手術をすることで、おとなしくしていたがんが暴れ出して、急に悪化する場合があると書かれているからです。それも長尾先生に言わせれば、詭弁ですか？」

——いいえ、それは詭弁とは言えない。真実であると思われる場合も経験してきました。がんによっては、マイクロメタスターシス（micro metastasis）、微小転移といって、2㎜や3㎜のがんで、すでに転移が始まっていることがある。がんには、大きさだけではなく、悪性度というものがあります。悪性度によっては、がんの大きさが1㎝以下であっても、早期がんとは言えない場合があるのが、がんという病気の本質です。原発巣が1㎝以下であっても、あちこちにすでに転移している場合もあります。これが低分化ないし未分化がんの特徴です。しかし、**原発巣がホルモンのような指令を出して転移巣の行いを制御していることがわかっている。**手術でその原発巣を取り除いたとたんに、急に転移巣が大きくなることは、実は、結構ある話です。なんていうの、ヤクザで言うたら……。

「またヤクザに喩えるのですか!?」

——すみません、関西人やから僕はガラが悪いんですよ（笑）。しかし、がんをヤクザに喩えるのがいちばんわかりやすい。原発巣が一番大きな「組」だとしましょう。いわゆる本部。転移巣がその下、子分が親分と盃《さかずき》を交わしてできた、二次、三次の小さな「組」ないし「支店」だとしましょう。親分の組が機能しているあいだは、子分の組はいつも親分の顔色をうかがっているから、早々悪さはできない。しかし、本部にいる親分が警察にしょっ引かれたら、そりゃ、子分たち（転移巣）は歯止めがなくなり暴れるでしょう？　勝手な行動をするな、という指令が届かなくなるわけだからね。

「では、手術をした途端に見えない転移巣が暴れ出すこともあると言うのは、近藤医師の言っている通りだと先生も認めるのですね？」

――認めますよ。でもね、そんなことは多くのがんを診ている医者なら昔から経験的に知っています。近藤氏が発見したわけでもなんでもない。しかも、そういうケースもある、という話。低分化ないし、未分化がんで起こり得ます。分化度の高い早期がんであれば、そんな可能性は少ない。彼の著書を読んでいる限り、どうもこの部分を誇張し過ぎているように感じます。

「近藤医師は誇張なんてしていません。主治医が知らないことを、患者さんに警告してくださっているのです。たとえば、こうも書かれています。

〈メスを入れた近くに再発することがある。これを『局所再発』という。局所再発と聞くと、切除しきれず取り残したがん細胞が増殖した結果だと思うかもしれないが、手術後に再発した多数の患者を診るうちに局所再発が生じる仕組みには2種類あると気づいたと。一つは、手術の取り残し。たとえば乳がんの乳房温存療法では、乳房の部分切除術を行うが、その後、傷跡に再発してくることがある〉と」

――そういうケースも当然ありますよ。手術の際にメスに付着したがん細胞が、傷口に残ってしまうケース。医者ならば誰だって知っていることです。

「それは、外科医の手術の腕前とは関係あるのですか？」

――多少は外科医のスキルもあると思います。だけど、要因としてはごくわずかなものです。さっきも言ったように手術をしてみないと、がん細胞がどこにどんなふうに隠れているのかは、わからないことがたくさんある。

「がん細胞が手術で暴れるということについて、こうも書かれているんです。〈すでに臓器に転移している本物のがんのときは、がん細胞がいつも血液のなかに浮遊している。他方で、メスで傷ついた箇所は傷を修復するためにさまざまな血球が集まり血管が新生され、酸素や栄養が豊富ながん細胞の増殖に適した環境になるのだと。そこに浮遊しているがん細胞が取りついて増殖し、再発病巣となる〉と」

——その通りですよ。

「では、この近藤理論に対しては、長尾先生は　◯　ですね」

——当たり前のことですから。それで驚いていることのほうが不思議です。

「失礼ながら今の長尾先生の言い方、それが医療者の驕《おご》りだと思うのです。医療者は医療のプロでしょうが、がん患者には、がんのプロなんていません。みんなアマチュアです。主治医がきちんと説明してくれないことを、近藤医師は本できちんと私たちに説明をしてくださる。それを医師たちは、〝素人だからあんな詭弁に騙されている〟〝そんなことも知らなかったのか〟〝プロから見たら当たり前のことを近藤氏は勿体つけて話しているに過ぎない〟といった反論をするのです。しかし、そんなふうに言えるほど、日ごろから患者さんにきちんと説明ができている医療者が一体どれくらいいるというのでしょう？　**医療者にとっての〝当たり前〟は、ときとして、私たちがん患者にとっては、〝衝撃の事実〟となるべきものなのです**」

――確かにそういう一面は否めない。あなたの気持ちはわかります。だからこそ近藤氏の本は飛ぶように売れて大きな共感を得ているわけでしょう。だけどね、大筋ではぶれていないかもしれないが、主張がどんどん極論化しているように思うのです。確かに近藤氏の本は、素人である市民に丁寧で親切なのかもしれない。しかし、それ以上に僕にしてみれば理解不能な部分が多すぎて、結果、がんで悩める患者さんをミスリードしている気がする。それにしても、みんなちゃんとわかっているの？　僕が読んでも、どのページにも、何カ所もよくわからない主張が登場して頭が痛くなる。疑問符があり過ぎる。だから「長尾先生、正しいですか？　間違っていますか？　どこがどう間違っているのですか？」なんて質問されても答えに困るよ。だから評論すること自体がとても難しい。これはおそらく他の医師も同じじゃないかな。

彼のやり方は、どこか橋下徹氏を彷彿とさせます。

橋下徹氏は、〝なんとなく〟〝どことなく〟現状に満足していない市民を前に、弁護士出身の明晰な頭脳と話術で、「具体的に何がどう間違っているのか」と行政の失策と政治家の欺瞞《ぎまん》を徹底的に炙り出しました。そして多くの市民から支持を得た。救世主が現れたとも言われた。

しかしその先に彼が提示した「大阪都構想」なるものは、現状を上回るほどのデメリットが待っていることは誰の目から見ても明らかだった。そうしたなかで、自分を批判する者は徹底的に断罪をする。未来のために、と本人は言っているが、今の大阪市民を本当に幸せにする政策だとはとても思えません。自分がのしあがるために詭弁を駆使しているように見えてしかたがない。

近藤氏も、今の医療のどこが間違っているのか、具体的に否定してみせた。〝なんとなく〟〝どことなく〟医療に不満を持っていた人たちをグイグイ惹きつけ、多くの支持を得ました。しかし、その先、彼が誘導していく場所に、本当に患者さんの幸せが待っているのだろうか？　いつの時代においてもトリックスターというのは、その理論は確かに単純明快で魅力的に見えるけども、得てして「その先の市民の幸福」までは考えていないものなのです。医療を否定し、手術や抗がん剤治療、さらに健康診断までを拒否することが本当にベターであるのかどうか。悪戯に世間を戸惑わせている部分のほうが大きいと思う。

近藤理論の検証⑦

〈おとなしかったがんが、手術で暴れ出すことがある！〉

長尾の答え↓○　まるで自分が発見したかのように言っていますが、医師なら常識です。しかしそうではないケースもいくらでもあります。

これって本当⁉

手術の前から腹膜に播種しているケースが多い⁉

「手術について、近藤医師はさらにこんな書き方をしています。〈胃がん、大腸がん、膵がん、卵巣がん等では、手術前から腹膜にがん細胞が播種しているケースが多い〉と」

――意味がわからない。まず、臓器が違うがんを一つの文章内で一緒に並べているところが、あまりにも乱暴すぎる。それに、多く見られるというが、「多く」とは、あなたのイメージでは何割くらいのことを言いますか？

「通常なら、6割～7割、といったところでしょうか」

――そうでしょう？「多い」という言葉を使うときは、少なくとも半数以上だ。

だけど、手術前から腹膜にがん細胞が播種しているケースは、全体の手術数からいったら10％以下ですよ。何をもって「多い」と言えるのか……。

「続けてこのようなことも仰っています。
〈腹膜播種しているケースが多く見られると。その場合、腹水も存在していて、腹水中にがん細胞が浮遊している〉と」

――腹膜播種の状態であれば、当然、多少の腹水もあります。その腹水中にがんが浮遊している状態のことを腹膜播種というのだから。それに、「腹水も存在し～」って、の意味がわかりません。腹水が問題なのはその量です。

「しかし加えてこうも書かれています。
〈（そうした状態で）手術をすると、腹膜が切り開かれ、臓器を摘出した部位の腹膜も傷つく。これら傷跡に浮遊していたがん細胞が潜り込み、爆発的に増殖する。これが局所転移の典型〉だと。
こんな真実を知ったら、恐ろしくて手術なんてできないですよ」

――ちょっと待って。局所転移じゃないよ、それ。何が典型なのか、まったく意味不明だ。

「もう少し黙っていてもらえますか。こうも書かれています。〈手術をするたびに腹膜はどんどん傷つくので、がん細胞はさらに増殖しやすくなる。手術を繰り返すと手術から再発までの期間が短縮する理由〉だと」

――一体何が言いたいのだろう？　僕にはわからない。そもそも、腹水があって、腹膜播種のある人に、手術を繰り返すことなんてありえない。今の主張は、おかしなところだらけです。

「いいえ、腹膜播種で手術を繰り返した例はありました。逸見政孝さんがそうでした。近藤医師は、がんになった著名人を著書で何人も取り上げていますが、特に、がん手術で殺された著名人の筆頭に、逸見政孝さんのストーリーが挙げられることが多いです」

——また逸見さんか！　あの方が亡くなってからもう20年以上が経っている。医療の世界から言えば20年なんて一昔前どころか、時代が違うんです。考え方も、手術のやり方も、大幅に変わっています。それなのに、いまだに逸見さんの例を挙げて現在のがん医療を全否定するところが、すでに近藤氏の時間が止まっているということではないか。

それに大変言いにくいことですが、逸見さんのあの手術は無謀な賭けであったと思います。当時、そう感じていた医療者は多かったのではないか。

これって本当⁉

逸見さんのケースは現在は通用しない⁉

「けれど近藤医師の本では、局所再発のお話をされるときに、逸見政孝さんのエピソードが繰り返し持ち出されます。これを読むと、日本のがん医療の恐ろしさがわかるのです。昔の本だけではありません。最近の本、『近藤先生、「がんは放置」で本当にいいんですか?』(55ページ)にもこんな記述があります。

〈逸見さんは93年1月、定期健診で胃がんが見つかり、2月に胃を4分の3切り取る手術を受けた。最初は、早期がんと診断されたようだが、おなかを開けてみると、スキルス胃がんという進行の早いがんで、すでに腹膜に転移があった。腹膜転移がある以上、胃のがんを切り取っても治らない。転移があるということは、がん細胞が血液やリンパ液に乗って身体中にばらまかれているということ。それなのに医者は切っても無駄だとわかっていて胃を予定通り切り取った。

しかも傷跡にがんが再発。身体の表面では傷がケロイド状に盛り上がり、身体のなかでは腹膜の傷に沿ってがんが増殖した。仕方なく医者は8月に2回目の手術をする。

しかし、身体の表面にできたケロイドを切り取っただけで、身体のなかには何もせず、傷を閉じた。このとき医者は、逸見さんにきちんと説明をしなかった。そのため不信感を抱いた逸見さんは、東京女子医科大学病院に転院。同病院で逸見さんは手術の傷跡に長さ12センチ、幅5センチのがんが再発していると診断された。放っておくと腸閉塞になるという危険があるというので9月に3回目の手術をすることが決まった。

テレビ会見はこの手術の前です。

さて、13時間に及ぶ大手術で逸見さんは腹膜にあった22カ所のがん、胃の残り全部、膵臓の半分、脾臓など、総重量3kgにも及ぶ臓器を切り取られた。術前に『こんなに臓器を取ってしまって大丈夫ですか』と聞いた逸見さん夫妻に、医者は『可能性はある』と答えたそうだが、それはあり得ない。こんなに臓器を取ったら身体が弱ってしまって、治る可能性は1%もない〉」

――その部分に関しては、近藤氏の言っていることはだいたい正しいと思います。共感できる部分がたくさんあります。だけど何度も言いますが、20年前の話です。

確かその3年後に、近藤氏は『患者よ、がんと闘うな』という本を出版し、誰もが知るベストセラーとなった。この社会現象となった異例のヒットは、逸見さんの死と無関係ではないでしょう。逸見さんショック、というものが少なからず国民には植えつけられたのです。当時は今のように、記者会見で自身のがんを公表する有名人がそもそも皆無でしたしね。しかも逸見さんはまだお若かったし、お硬いニュース番組も、柔らかいバラエティ番組の司会もこなせる、当代一の人気アナウンサーでした。そして、逸見さんの経過を知った国民は、「すべてを医療任せにしていいのか？」と思ったことでしょう。社会的には、逸見さんの勇気と闘いは大変有意な行為でした。

しかしもはや時代は違う。現在ではもう存在しない手術の仕方を本で紹介する意味が、どこにあるのでしょうか。さも、今もそうした現実があるような書き方で。僕はこういうやり方は、故人に対しても大変失礼にあたるんじゃないか、もういい加減にしたら、と思いますよ。

「今の医療では、逸見さんのような手術は本当にありえないのですか？」

——現在であれば、逸見さんと同じ状態のスキルス胃がんの患者さんに「2回目の手術」も、「3回目の手術」もやることはまずない。そんな医者がいたらそれこそ通報ものじゃないかな。

「では今現在、逸見さんと同じ状態の人がいたとします。一度目の手術で切ったところに大きな局所再発をしたら、どうなるんですか?」

——抗がん剤の専門医は、抗がん剤治療を勧めるでしょう。しかし僕だったら、「何もしない」という手もありますよ、と患者さんに言いますね。

近藤理論の検証⑧

〈逸見政孝さんの手術は失敗だった〉

長尾の回答↓○　当時、どの医師が見ても、そう思っていたはず。だけどもう、いい加減にこの方を例に取り上げるのは、やめにしませんか?

これって本当⁉

患者は実験台？　医療とは、失敗学の積み重ね⁉

「何もしない？　じゃあ、長尾先生も放置療法を…」

――それは僕だけでなく、他の医師もそう言うでしょう。逸見さんと同じような状態であればね。だから、そういう場合は「もう放置したほうがいい状態」と言えます。早期がんとは話が全然違うわけだから。がんなら何でも一緒くたに「放置しろ」と言っているから、おかしいのであって。だけどそういう発想自体、もしかしたら、逸見さんの周辺の医者たちにはなかったのかもしれません。有名人だったから、「何としてでも助けなければ。やるだけのことはやってみよう」というプレッシャーが働いた可能性もあります。しかも、どんな手術をするのか事前に本人が記者会見まで開かれた。あの記者会見は、僕もリアルタイムで、テレビで見ていました。「これはイチかバチかの手術だな」と感じました。病院側も、あそこまで事前に世間に発表されて、もう後戻りできなかったのではないでしょうか。でも、今、あれと同じ手術をしたら、問題にされるでしょう。

「それではなんだか、逸見さんが実験台にされたような印象です」

――実験台？　そうですよ。ある意味、患者さんなんて誰もが実験台です。もっと俯瞰《ふかん》的に見れば、の話です。だってそうでしょう。「医学、科学の進歩」とはそういうことです。自分の妻を実験台にし、１８０４年に世界で初めて全身麻酔手術に成功した華岡青洲《はなおかせいしゅう》から今まで、その連続です。病気の治療をすることで、患者さんの誰もが実は未来に貢献している。万が一、自分の治療が思い通りにいかなかったとする。だけどその貴重な失敗例としてのデータは、子どもたちの時代に託せる。失敗例がなければ、医学も科学も前には進みません。そして、その時代、その時代のスタンダードがあります。それが未来永劫絶対に「真理」だなんていうことがあるわけがない。

しかし、「何がなんでも、自分だけには失敗は許されないし、誰よりも生き永らえなければ気が済まない」という人には、それはつらい現実なのでしょう。**医**

療の本質とは「失敗学」でもある、ということを認められない人たちには。

「つまり長尾先生は、近藤医師による、逸見さんの手術に対する評価に関しては正しいと思われている。だけど……」

――当時としてはだいたい正しい解説ですよ。しかし20年以上経過した今になっても持ち出して、がん手術とはこんなに恐ろしいことをするのだ、という印象だけを読者に与えてしまうのでは時代錯誤になってしまう。もし、「華岡青洲というトンデモない医師が、親や妻を実験台にして野蛮な麻酔手術をし、失明させた。言語道断である。こういう恐ろしい医者を糾弾せよ……ちなみに150年前のことである！」と怒っている人が今いたとしたら、どう思いますか？

「もちろんおかしな人だと思います」

――近藤氏が言っていることは、本質的にそれと同じです。

「でも、逸見さんの妻もその後に本を出して、ハッキリと『夫は殺された』と書かれています。家族にまでそんなことを書かせるなんて、罪深いです」

――どういう状況から奥さんがそう感じたのかはよくわからないが、きちんとしたインフォームドコンセントが、当時はなされていなかった可能性があります。具体的にリスクを説明したうえで、「助かる可能性は非常に低いですが、それでも手術をしますか?」と明確な同意を得る必要も20年前はなかったから。

「では、現在であれば、どの病院でも必ずやきちんとしたインフォームドコンセントがなされているとお考えですか?」

――先ほども申し上げたように、100%ということはないでしょう。あの頃よりはだいぶマシになった、と言うべきかな。でも群馬大学での腹腔鏡手術の件もあったばかりなので、まだまだ変えなければならない状況が、今のがん医療界にはたくさん残されていますね。でもね、あまり先駆的な医療を叩きすぎるとがん医療に挑む医者がさらに減るという側面もあるのです。

これって本当⁉

「医者に殺される」とはどういう意味⁉

――これも近藤氏の影響だと思うけれど、最近「医者に殺された」というフレーズが流行語のようになっています。しかしもう一歩引いて考えてほしい。手術というのは、とてつもない人生の決断です。**その決断において、「殺された」と言わせるような医者に無防備に命を預けた自分には、何の責任もないのか、と。**

「患者にも責任があると言いたいのですか？　だって、そんなのわからない！」

――20年前ならいざしらず、これだけ患者の権利が大切にされ、ネットや書籍など情報が豊富な社会になった今を生きるあなたが、「わからない！」だけで済ませるの？　情報を集めろというだけの話ではありません。患者さんと積極的に向き合ってくれる医師かどうか、助からない可能性もある手術であれば尚の事、「それでもこの医師に命を預けてみよう」と思えるのかどうか。だから僕は、危険を伴う手術を受ける患者さんにはいつもこうアドバイスしています。「**殺されても仕方がないと思えるお医者さんに命を預けてください**」と。それくらいの覚悟で患者さんも治療に臨まないと後悔をしますから。

「無理難題です。そんなお医者さん、どうやって選べばいいのですか？」

――それは僕にもわからない。**１００％安全な手術も抗がん剤治療もない**のですから。生身の人間に人間がメスを入れ、がんを切り刻み、その後、抗がん剤という毒を使ってがん細胞を殺すわけです。成功というのは、「たまたまうまくいきました」ということに過ぎません。医療安全の視点から見れば「失敗と成功は等価」なのです。意外でしょうか？　実は、難しいでしょうか？　成功例だけを言う、いわゆる神の手みたいな外科医ばかりをメディアが紹介するのもおかしな話だし、だからといって、「ほら、医療というのはこんなに失敗するぞ。だから手術もダメ、抗がん剤も毒だからやめておけ」と素人に向かって囁くのは、もっとおかしな話です。**成功だけを前提にするのも、失敗だけを前提にするのも、現実に向き合っていないということです。**

これって本当!?

抗がん剤は、「毒」なのか?

「はからずも、長尾先生は今、〝抗がん剤は毒だ〟と言いました。もう少し、逸見さんのことを続けます。近藤医師の、抗がん剤は毒、という話です。

〈逸見さんは10月に腸閉塞を起こした。がんが腸を塞いでしまった。仕方なく、逆流した胆汁を鼻から管を通して吸い出したが、それで苦痛がなくなるわけではない。しかし、こんな状態の逸見さんに医者は抗がん剤を投与した。抗がん剤は、毒薬または劇薬に分類される非常に毒性の強い薬。薬というよりも毒といったほうがいい。こんなに弱った人に投与したら死んでしまいます。案の定、逸見さんは術後の痛みと腸閉塞、抗がん剤の副作用に苦しみ抜いて、一度も家に帰れないまま、12月25日に亡くなる。まだ48歳。

転移があればがんは治らないとわかりきっている。それなのに3kgもの内臓を切り取って、仮にがんがすっかりなくなったとしても普通の生活に戻れるわけがな

い。〉

どうですか。近藤先生の医療者としての誠実さがうかがえる言葉かと」

――その気持ちは、僕も同感ですよ。抗がん剤に関しては、現在においても、そうした医療は一部では行われています。手術でがん細胞が弱っているところに、さらに抗がん剤でがん細胞を弱らせて身動きできないようにさせましょう、という発想です。だけど体全体が弱っているから、がん細胞が滅びる前に、元気な細胞もやられて抵抗力がなくなってしまう場合がある。残念ながら、こうした状況は現在もあまり変わっていない気がする。

「手術のダメージで弱っている人に、さらに抗がん剤を打って、弱らせる？」

――それが標準治療でもあるのです。外科手術の2週間後くらいから、抗がん剤治療は開始され、その後、何カ月も続きます。20年前の抗がん剤治療と違い、健康な細胞に極力ダメージを与えない分子標的薬がスタンダードになりつつあるし、副作用を軽減させるお薬もたくさん出回るようになりましたが、身体にまったくダメージを与えないかといえば、そんなことはない。ここに関しては、もう存在しない過去の話と現在の話がごちゃ混ぜになってしまっています。だから、近藤氏が、持論のなかでまるで伝家の宝刀みたいに挙げる逸見政孝さんの例に関しては、もう、やめてください、としか言えないです。

ところで**逸見さんと同じようなスキルス胃がんと闘って3年経過して生きている渡邊こずえさん（40代）という知人の女性を紹介させてください。**この人は、2015年、現在をお元気に生きている方です。

彼女は、ステージⅣのスキルス胃がんで開腹手術を受けたが、開けてみると、腹膜播種が見られた。通常は、このような場合は手術をせずに、そのまま閉腹します。「試験開腹に終わった」ということになります。しかし渡邊さんは、病院の外科手術の現場で働いていたという経歴もあり、多くの手術を見ていたせいもあるでしょう、「もし腹膜播種があっても取れるものは全て取ってほしい」と事前に主治医にお願いしていたのです。主治医は、「無駄なことだろう。しかしどうせ助からないのだから、患者さんの思う通りにしてあげよう」と考え、胃袋を全摘したうえに、リンパ節も80個あまり取り、さらに腹膜播種の米粒のようなツブツブもできる限り取ったそうです。私はその後、彼女からそのときのカルテを見せてもらいました。驚きました。通常は、あり得ない手術です。しかし患者さん自らが望んで、そのあり得ない手術が現実となった。

そして術後、標準治療の抗がん剤を1年間やりました。そこで自分の意思でスパッとやめました。僕の著書『平穏死 10の条件』を読んだことで背中を押されたそうです。彼女は、1年も生きられると思っていなかったようです。

だがその後3年が経ちますが、彼女は今も元気に生きておられます。

腹膜播種があるステージⅣのスキルス胃がんが、手術と抗がん剤治療を終わらせたのち、3年以上生存している！　主治医も首をかしげるほどの珍しい例かもしれませんが、現実の話です。本当か？　と思われる人は、一昨年の、彼女とのトークライブの映像が僕のブログにアップされているので確認してほしい。腹膜播種のあった彼女のことを、近藤氏もよもや「がんもどき」とは言えないはずです。もし渡邊さんが近藤氏を信じて、最初から手術もせずに放置していたとしたら……。もう言わなくてもわかるでしょう。とにかく極論本に殺されなくて良かった！　彼女は医療の恩恵を充分に受け、人生のプラスにしたのです。

（※詳しくは、第三章をお読みください）

ちょっと一息

町医者だから知っている、がん患者さんの現実…

〜抗がん剤を選んでくれと言われて戸惑う患者さん〜

先日、ある患者さんの奥さんからこんな相談を受けました。

「夫が胃がんで入院しました。もう手術は受けられないとのことで、抗がん剤治療以外、選択肢はありません。抗がん剤専門医より、副作用が激しいが延命効果の高いAという抗がん剤か、副作用はたいしたことはないが、Aに比べると延命効果も低いBという抗がん剤か、どちらかを選んでくださいと言われました。抗がん剤を自分で選べるということが、患者主体の医療ということなのでしょうか？　本やインターネットで調べてはみましたが、本人はもちろん、家族だって選びようがありません。しかし夫は、〝お前が決めてくれ〟と言います。いっそのこと、1種類だけ提示してほしかったです。どうすればいいのでしょう？」

素人に、しかもまだ気持ちの整理がついていないであろう患者さんとそのご家族に、そんな判断を迫るのが良い医療の在り方だと信じているお医者さんがいるようです。正直、呆れ返ります。

副作用が激しいが延命効果の高いAなのか、延命効果も低く副作用も少ないBなのかを決める前に、まずは抗がん剤をやるのか、やらないのかを話し合わねばいけません。患者さんの年齢や全身状態、希望や人生観によって大きく変わります。抗がん剤をしないという選択肢もあるでしょう。

医者はプロなのでプロらしく、沢山の選択肢のなかから最良の選択肢を提案すべきでしょう。こういう状況の場合では、ときにはパターナリズム的となることは仕方が無いと考えます。こうした場合、「絶対に先生を訴えないから本音を聞かせて」と言って、本音を引き出してみてはどうでしょうか。いずれにせよ、現在多くの病院で行われている、このような形のインフォームドコンセントは改めるべきだと思います。患者主体といいながら、患者主体になっているとは思えないところがある。この議論には、市民や患者さんにも入っていただかないと、変わらないと思います。

これって本当!?

勘三郎さんの手術は失敗だったのか!?

「近藤医師の名誉のために言いますが、彼は、逸見さんのことばかりを掘り返しているわけではありません。最近がんでお亡くなりになった著名人についても、何人も挙げていますす。たとえば、歌舞伎役者の中村勘三郎さんなどです」

――いつも不思議に思うんだけど、なんで近藤氏は、亡くなった人ばかり、それも壮絶な死とマスコミに書かれるような人ばかりを取り上げるのだろう？　逸見さんも勘三郎さんも、がんと発見されたときにはすでに相当に厳しい状態だった。そういう人ばかりを意図的に取り上げている印象がある。

著名人のなかにも、手術をして闘って治った人だってたくさんいるじゃないか。何度も手術を繰り返して、今でもお元気な大橋巨泉さんについてはどう思われているんだろう？　それに、食道がんから見事に復帰されて歌い続けている桑田佳祐さんについては？

「だから、そういう人はきっと、〈がんもどき〉だった可能性が高くて……」

――あなた、まだそんなこと言うか（笑）。やっぱり重症やなあ。じゃあ、巨泉さんも桑田さんも「よけいな手術をされた！」と訴えなければならない、という訳か。あり得ないね。

「近藤誠先生は、勘三郎さんのことは何度書いても書き足りないそうです。それほど、近藤先生は強い怒りを持っています。〈中村勘三郎さんのことは、何度書いても書き足りない、あまりにもつらく、酷いケース。また、夫人の著書『中村勘三郎 最期の131日』の出版により、かなり詳しく経過を知ることができた。彼が医者たちに殺されたという見方は以前と変わらないが、新たにわかったこともある〉と」

――つまり、いい加減、逸見さんの事例が古くなったところで、新たに勘三郎さんというケースが出てきたから……。がんで壮絶な死に方をすると、亡くなったあとで医療否定を繰り返す医師の餌食になる。なんという皮肉だろう。

「だけどこのケースを掘り下げると、決して逸見さんの事例が過去の負の遺産だとは言い切れなくなるのではないでしょうか。近藤医師によると、勘三郎さんの手術の経緯は以下のようなものです。

〈勘三郎さんは、2012年6月1日に人間ドックで食道がんが見つかる。このとき自覚症状はなかった。すぐに国立がん研究センター中央病院に行くが、最初に出てきた医者が勘三郎さんの顔を見ようともしなかったため、医者を替えることにした。6月4日、勘三郎さんはがん研有明病院に行き、そこの医師より『治しましょう。心配はいりません』と言われた。この医師は、桑田佳祐さんを治した名医ということだった。そんな医師にこう言われれば、『手術をすれば治るんだな』と思うに決まっている。でも、しかし転移する能力のある本物のがんだったら手術をしても治らない〉と」

――近藤氏は、がん研有明病院のこの医師を責めているのかい？　治らないものを治しましょうと言ったということが、罪なの？　たとえ高いリスクはあっても、これから手術に挑もうという人に、どこの医師が「あなたは手術をしても絶対に治りませんよ」と声をかけると思いますか？

「……続けます。

〈6月7日、勘三郎さんはがん研有明病院に入院。手術前の検査で右肩のリンパ節に転移があることを発見。『ほかにも転移がある可能性がある』と、術前の抗がん剤治療をすることに。しかし、転移している可能性があるのに手術をする意味があるのか？　肩のリンパ節に転移があるということは、やがてほぼ確実に肺や肝臓に転移がんが現れてくるのだから危険を冒してがんを取っても意味はない。そんなことは医者にはわかっていたはずだ〉」

――近藤氏は、〝治らなければ手術は意味がない〟と思っているのだろうか？

勘三郎さんはまだお若かった。これからの歌舞伎界を担う人でした。だからこそ、可能性は低くとも、ただ死を待つだけということに耐えられなかった可能性が充分ある。リスクは承知で、手術に賭けたいという気持ちは誰にだってある。本人がそう望むなら、リスクを充分に説明したうえで、治療をバックアップするのも医師の役目です。それを、「無意味だとわかっていたくせに手術を勧めた」ことを罪だと、**結果を知ってから言い切る神経が信じられない。桑田さんの件には触れずに。まさに後出しジャンケンそのものだ。**これはあまりにも厭世的な価値観でしょう。どうせ死ぬからすべてのがん治療は無意味？ 80代、90代の人にそうアドバイスをするのなら、わからなくもない。しかし50代の人にそう勧めるのが、医師としての正しい振る舞いだとは僕には到底思えません。

「……続けます。

〈勘三郎さんは、手術前の抗がん剤治療を受けて、食道のがんは見えないほど小さくなった。リンパ節の転移も半分くらいになったため、一旦退院し、手術を待つこととなったが、退院の日の朝、同病院の若い内科医が夫人に、『これだけ小さくなったのだから、手術をしないという選択肢があるんじゃないか』と言ったという。しかし、それを夫人から聞かされた勘三郎さんは『手術をするって決めたんだから』と怒ったという。勘三郎さんがここで考え直していてくれたら、と思わずにはいられない。そして、その若い内科医が、勘三郎さん本人にもきちんと説明していてくれたらよかったのにと。医者の世界は階級制だから、若い内科医は、病院内のヒエラルキーを飛び越して自分の意見を言うことはできない。偉い先生が手術をすると言っている以上、逆らえない。しかし、手術は必要ないことが彼にはわかっていた。だから、こっそり夫人だけに伝えた〉

……やはり勘三郎さんは、手術なんてしないほうがよかったのです！」

――ちょっと待ってください。今、聞き捨てならない言葉がありました。

〈勘三郎さんは、手術前の抗がん剤治療を受けて、食道のがんは見えないほど小さくなった。リンパ節の転移も半分くらいになったため〉って。

近藤氏ご自身がこんなこと言うのは、おかしくはないだろうか？　あなたは今読んでいて、彼が言っていることの矛盾に気が付かないの？

「……？」

――今までさんざん、抗がん剤治療は無意味で、毒で、『抗がん剤は効かない』という本まで書かれている近藤氏が、ここではあっさり抗がん剤の効果を認めている！　リンパ節の転移が半分になるほど効果があったと。

「あれ？　本当だ。確かにそうですね……」

――その後に若い内科医が勘三郎夫人にがんが小さくなったから手術をしなくてもいいと提案した、とあるけれど、これは僕の憶測ですが、説明を聞いた夫人が、間違って受け止めた可能性もなくはない。つまり、抗がん剤が効いてこれだけがんが小さくなったのだから、開腹手術ではなく、内視鏡か腹腔鏡でも手術ができるのでは？　という提案だった可能性がある。縮小手術といって、食道全摘ではなくて、部分切除というような方法があったことを提案したのかもしれません。それくらい、抗がん剤が良く効いたのでしょう。

「たしかにこの部分は、近藤医師の持論と矛盾しているようにも読めますね」

――愛読者として、それで許してしまうの？「効かない」と言っていたものが明らかに効いているのに？

がんで亡くなる場合の経過

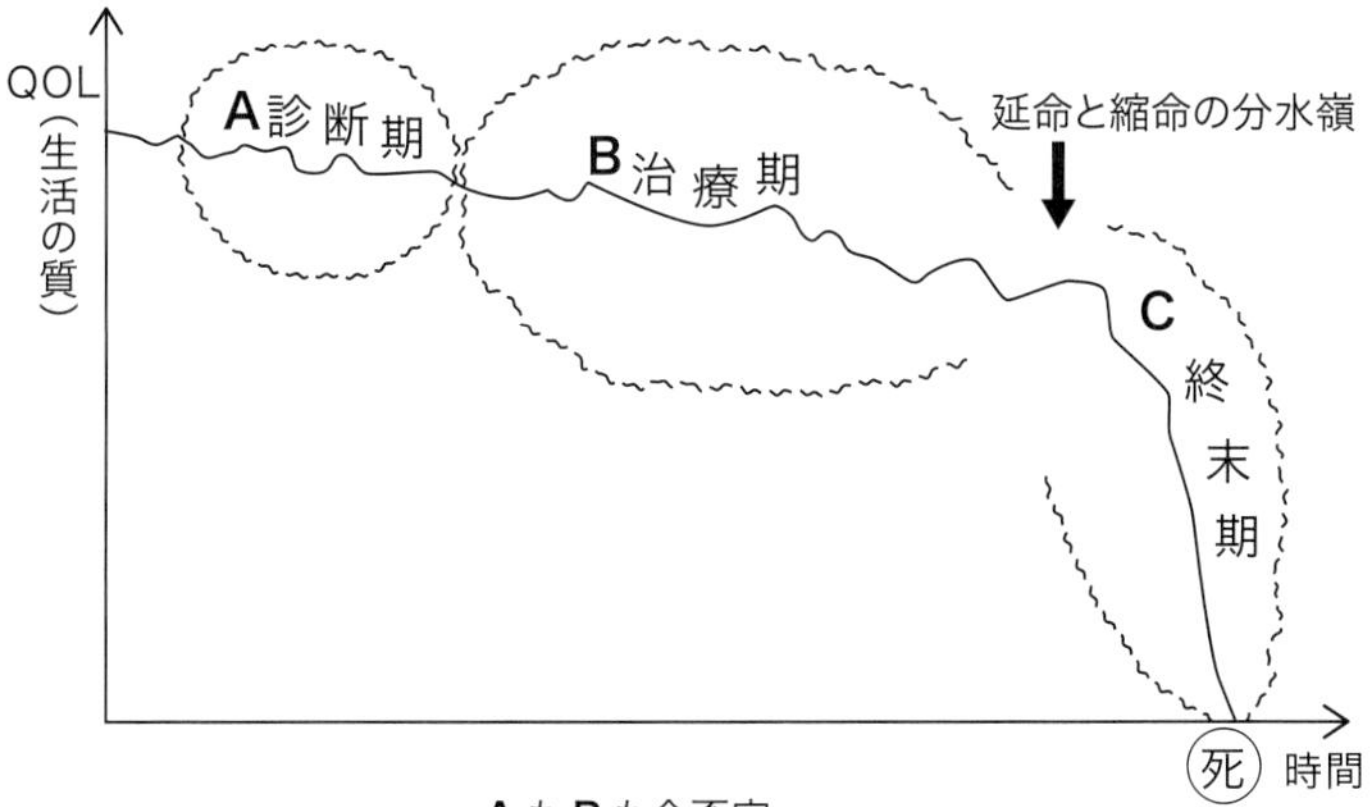

近藤誠氏	AもBも全否定 BとCをごちゃ混ぜにしている
長尾主張	AもBもしっかりいい医療を Cは平穏死の思想で BとCの境界（延命と縮命の分水嶺）は自己決定
がん医療界	BとCの境界に言及せず 最期の最期まで闘うという医師もいる

＊グラフは著者による

これって本当!?

「医師に殺された」と言うのなら、放置療法だって同じこと!?

「……続けます。

〈勘三郎さんは主治医に『放射線治療だけではいつ治るかわからない。手術をすれば10月の長男の襲名披露興行には出られるかもしれない。それが無理でも、11月の顔見世には……』と言った。心の底から願っていることが手術を受ければ叶うかもしれないと思わされた。心に強く願っていることを鼻先にぶらさげられて手術に誘導させられた。本当に勘三郎さんのことを考えるなら、『手術はダメージが大きいから治療するなら放射線のほうがマシだと』医者は言うべきだ〉」

――まるで自分が見てきたように言うのですね。神の視点で書かれている。

「……続けます。

〈しかし、外科医は切るのが商売。勘三郎さんは手術に突き進む。7月24日、入院前日にはゴルフコンペを主催し、準優勝。このときの様子がテレビで放送されたが、勘三郎さんはとても元気でまったく病人には見えない。

そして、翌25日入院、27日手術。手術は食道をすべて切り取り、胃袋を引き上げて食道の代わりにするというもの。リンパ節は121個も切除。11時間にも及ぶ大手術だったが翌日には集中治療室のなかを20メートルほど歩いた。ところが5日後、吐いたものを誤嚥し、気管に入って肺炎を発症。『肺が燃えた』と医者が言うほどの状態になってしまう。肺に入った胆汁や髄液には強力な消化作用があり、それで肺がやられた。

やしきたかじん氏もそうだが、勘三郎さんも手術によって飲み込みがうまくいかなくなり、吐いたものを誤嚥してしまった。胃を食道代わりにしているのだから、当然、胃のなかのものが逆流しやすくなる。しかも手術によって神経が傷ついているから、嚥下のときの反射が起こりにくい。ベッドで寝ているために口と胃に高低差がほとんどなく、そのことも吐きやすく、飲み込みにくい状態をつくる〉

長尾先生はどう思いますか?」

――今の意見は、別に間違っているところはないですよ。そういう危険が起こりうる。誤嚥性肺炎を起こしたのです。だけど起こさない可能性もあった。誤嚥性肺炎を起こしたからといって、手術そのものを否定してしまうのは、違う話です。徹夜明けでバイクになんか乗るから、交通事故を起こした。だからバイクという乗り物に乗ってはいけないと言っているようなもの。だけど事故を起こさない可能性だってもちろんあった。

「〈勘三郎さんは急性呼吸窮迫症候群ARDSに陥った。結局、がん研有明病院で1週間近くを無駄に過ごした後、ようやく呼吸器専門の医者がいる東京女子医科大学病院に転院。しかしすでに肺は酷い状態だったようだ。苦しい闘病が続くなか、8月24日にがん研有明病院の医者が東京女子医大に来て、『検査の結果、切除した121個のリンパ節からがん細胞は1つも見つからなかった』と報告する。まったく、何のためにそんなことを言いに行ったのか。保身なのか、自慢なのか、いずれにしても理解に苦しむ〉と」

――なんとも言えない状況です。医療情報を次の医者にそのまま提供するのは医者の義務です。しかしこの通りだとしたら、確かにその医師は空気を読んでいなかったのかもしれないが。

「続けます。

〈その後、勘三郎さんは再び転院。人工肺を装着するので最新の治療が行われたが、肺は回復せず、12月5日に亡くなる。57歳。普通は、がんと診断されても自分の足で歩いて病院に行ける人がたった3、4カ月で亡くなることはない〉」

――それは違う、さっきもお話しした通り、**自分の足で歩いて病院に行ける人でも、たった1カ月で亡くなることはいくらでもある。そもそも、それががんという病気ですが、それがどうしたの？　という感じ。**

「〈彼の受けた手術は、がんの手術のなかでもきわめて危険な手術。死亡率も高いうえに合併症や後遺症の発症率も高い。しかもそんな危険を冒して手術を受けても比較的早期のがんですら5年生存率は50～60％。半分の人が5年以内に亡くなってしまう。がん治療ワールドの医者たちは、治療をしなければすぐに死んでしまうようなことを言う。そして、外科医は手術を、抗がん剤専門医は抗がん剤治療を勧める。でも、それが最善の方法ではないし、すぐに死ぬこともない。

勘三郎さんにとって最善の方法は何もせずに放置することだった。食道がんが大きくなるスピードは一般的に半年から1年で2倍になるかどうか。すぐにどうということはない。手術をしなければ勘三郎さんは、息子の勘九郎さんの襲名披露興行に間違いなく出られたし、2013年4月の新歌舞伎座のこけら落とし公演にも出られた。それなのに意味のない手術を受けさせられて命を失ってしまった〉

長尾先生、勘三郎さんはあきらかに医者に殺されています！」

――いいえ、そうは思いません。

「なぜ!?　長尾先生の目から見たっておかしいでしょう？　意味のない手術をされて命を奪われたのですよ！」

――近藤氏の主張の一部に共感するところがあるのは認めます。だからといって、**〈意味のない手術をされて命を失ってしまった〉**という主張は、あきらかに言い過ぎです。確かに、何もせずに放置をすれば、半年で命を失うことはなかった可能性もあります。だけど確実に悪化はしていた可能性も充分ある。**〈食道がんが大きくなるスピードは一般的に半年から1年で2倍になるかどうかだから、すぐにどうということはない〉**と近藤さんは言っているけれど、半年で2倍になったら、果たしてQOLを保ったまま、新歌舞伎座のこけら落としに行けたかどうか？

そして、ここが一番大事ですが、勘三郎さんご本人の意思がどうであったかは誰にもわからない。近藤氏は、まるでイタコのように勘三郎さんの無念を代弁するが、この物言いは亡くなった方とそのご家族への冒瀆とも読める。もし僕が勘三郎さんのご家族だったら、強い怒りを覚えます。

先ほど述べた**渡邊こずえさんのように、スキルス胃がんと闘った結果、3年間生を勝ち取っている方も現実におられるわけですから。**

「近藤医師は、もしかすると家族の無念を代弁してくれているのかもしれないじゃないですか？　これを勘三郎さんのご家族が読んで、放置療法という選択肢があったのだ、と気付かれることはそんなに無駄なことでしょうか？」

――だけど近藤氏に言わせれば、つまり勘三郎さんは「本物のがん」だったわけだ。何をしても、いずれ亡くなることになったはずだ。遅かれ早かれ、勘三郎さんは亡くなる運命を免れなかった。だけど積極的な治療法であれば、それは医師に「殺された」ことになるの？　では反対に放置療法ならば、近藤医師に「殺された」ことにはならないわけ？　逆にご家族は「放置療法よりももっといい方法がたくさんあったのに、近藤誠さんに殺された！」と思う可能性だってあったわけです。現に、そういうふうに考えている家族はたくさんいるのですよ。**「放置療法に殺された」**と。もしくは、「放置療法を選択していなければ、がんを克服できたかもしれない」と、もう打つ手なしというところまで来てから後悔する人だってたくさんいる。

先日のＮＨＫ首都圏（２０１５年4月）でも、そうした特集が組まれていました。ＮＨＫは近藤氏に遠慮をしたのか、近藤の「こ」の字も入れていなかったが、「放置療法」を選択したために、乳がんが悪化して、拭いきれぬ後悔を語る女性が登場していました。**「放置療法」さえ選ばなければ、こんなに進行していなかったはずだ、と嘆いていました。**

たしかに近藤氏の言う通り、過剰な治療で、無念を感じている本人や家族が多くいるはずです。しかし一方で、「放置療法」を選択してしばらく経過したあとで、「やっぱり治療を選択すればよかった」とやりきれない無念や後悔を抱えて生きている患者さんも、昨今、増えているのです。しかし彼は、後者の方々にはこう言うのでしょうね。

「もし放置療法を選んでいなければ、あなたは今頃生きていませんよ」と。

もはや、神にしかわからないことを、神の視点で語っているのです。こうした後出しジャンケンなら、的中率は100％になります。

「……」

――近藤氏は、いいこともたくさん言っているし、行き過ぎた現在のがん医療に歯止めをかけたいという想いは、わからなくもない。だけど、本気でその人を助けたいと思うのならば、亡くなった後に後出しジャンケン的に言うのは卑怯ではないか。本気でそう思うのなら国立がんセンターや、がん研有明病院の門前に毎朝辻立ちして、拡声器で叫べばいいじゃないか。

「あなたのがんがもし本物ならここに来ても絶対に助かりませんよ！　今すぐ放置せよ!!」って。それも男らしくね。

30分3万円、40分4万円の高価なセカンドオピニオン外来で儲けるよりも、よほどそのほうが多くの人が助かるし、人々の心を打つでしょう。この医師は、本気で命をかけて、白い巨塔と闘おうとしているんだな、と賛同する人が増えるでしょう。

後からならば、素人でもなんだって言えますよ。大地震が起きてから、「実は私は地震を予知していました」とメディアに出る研究者と変わらないような気がしますね。

「もしも近藤医師が、がんセンターの前で、〝今すぐ無駄な治療はやめよ〟とビラを配って、拡声器を使って毎朝大声で本気で叫び続けたら、長尾先生は、近藤医師を認めますか？」

――信念は認めます。この人は本気なんや、と思います。だけどやっぱり、**「〈がんもどき〉理論に基づくがん放置療法」は間違っています。**

近藤理論の検証⑨

〈中村勘三郎さんは、手術によって殺された。放置療法を選んでいれば、悲願であった新歌舞伎座のこけら落とし公演にも出られたはず〉

長尾の答え↓×　手術で殺されたわけではない。勘三郎さんは、リスクを承知で賭けに出た。そういう生き方を否定することは、故人への冒瀆。放置療法を選んでいれば〜　なんて、後からはなんとでも言える。

これって本当!?

転移≒死ではありません！

「**近藤医師は、**〈食道がんの死因となるのは、肺や肝臓などへの転移だ〉とも言っています。〈仮に食道の初発病巣が増大して食べることができなくなっても、点滴等で栄養補給すればなかなか死なない〉とも。また、これに対し、〈他臓器への転移があればいずれ死に至る。そして他臓器へ転移があるかどうかは、（その転移が小さすぎて見つからなくとも）治療開始前に定まっている〉とも言っています。〈がんもどき〉理論自体が間違っていたとしても、転移さえしなければ死なないということは、事実ですか？」

――ちょっと違いますね。転移≒死、というのはおかしいです。先ほども話しましたが、転移があっても、長くお元気で生きている人はたくさんいます。転移というか、全身にがん細胞が広がって、それがどんどん増殖して体を衰弱させる物質を放出するから人はがんで死ぬのです。これは別に食道がんに限らず、どのがんでもほぼ同じこと。〝転移さえしなければ死なない〟というのはたしかにその通りだけれど、だからといって、それを〈がんもどき〉と呼ぶのはおかしい。数年のあいだ、がんが局所だけにとどまっていても、いつ転移するかは現在の医療では誰にもわかりません。

また、**〈点滴等で栄養補給すればなかなか死なない〉**、というのもよくわからない話です。食べられないほど食道がんが大きくなっていたら、ほとんどの場合、転移は起きています。もし末期がんに高カロリー栄養をすれば、がんが真っ先に栄養を横取りしてかえって早く死ぬ場合があることは、僕も何度も書籍などで指摘してきました。また〈なかなか死なない〉って、一体どれくらいの期間のことを指して言っているのか？　さっきから、非常に曖昧な表現のオンパレードですね。反対というか、意味不明です。

「がんが大きくなっても転移がなければ、取ってはいけないということでしょう？　食べられなくなっても点滴等で栄養補給して頑張ったほうがいいと」

――あなたのご職業は日々言葉と格闘するライターなのでしょう？　ならば教えてほしい。ここで言う、がんが大きくなって食べられなくとも「なかなか死なない」という表現と、転移があれば「いずれ死に至ります」と、どっちが長生きするのかな？　これを読んで、読者の人たちは疑問を感じないのかな？　僕は別に、揚げ足取りをしているつもりはないよ。だけど、一番肝心なところだよ。原発巣であれ転移巣であれ、がんが小さいうちに取るのに越したことはありません。

「小さいうちに取ったって、本物のがんなら転移しているから意味はないはずです……」

――勘三郎さんと同じ食道がんだった桑田佳祐さんは、手術後もう5年近く経っているが、見事に復帰されています。２０１５年初夏のコンサートツアーに足を運びましたが、僕の目には過去最高の体調に見えました。それを近藤氏は、〈がんもどき〉として片付けるんでしょうか。元気で復帰すれば、それは手術の成功ではなく〈がんもどき〉か。近藤誠理論とはどこまで都合がいいのだろうか。そろそろ、みんなその可笑しさに気が付かないのかなあ？

「いえ。近藤医師はこう仰っています。勘三郎さんに対し、やはり初期の食道がんで手術を受けた桑田佳祐さんには、再発がないようです。勘三郎さんの食道がんとは性質が違う（転移していなかった）ことの証拠。つまり〈がんもどき〉だったということです」

――それならつまり、桑田佳祐さんは、医療過誤を受けた！　医療事故だ！　ということだよね。だって、がんじゃないのに、〈がんもどき〉で手術したんだったら――。

「がんは初期であっても、転移があるものと転移がないものとに分かれるから……」

――そんなの当たり前だよ。でもね、本当は初期という言葉は使わないんだよ。医学的には、早期がんか進行がんか、その2種類に分けられる。初期の定義がそもそもない。近藤氏は、早期がんという概念を、自分が否定をしてきたから、その言葉を使えないのでしょう。だからあえて「初期がん」という言葉を苦し紛れに使うしかないのだろうね。

「続いてこうも言っています。転移があるかないかは、実は、〈山中伸弥教授の研究成果、「iPS細胞」が関係している〉と」

――えっ？ いつからそんな話になった？ 自分が20年前から言い続けたことと、最近発見されたiPS細胞に無理やり繋げようとしているだけでしょう。素人にはそれらしく聞こえるのかなあ。僕には意味がさっぱりわかりません。彼が過去の著書で、一度でもiPS細胞らしきことについて言及していた記述がありましたか？ そんなことを書くのなら、近藤氏は、山中教授に直接、「〈がんもどき〉とiPS細胞の関係についてどう思うか？」と聞いてみればいいのにね。山中先生も「？」じゃないかな。誰もわからないことで勝手な論理を展開するのが彼の特徴だね。

「黙ってもう少し聞いてください！

〈ｉＰＳ細胞は無限に増殖できる正常な「幹細胞」だが、がんにも「がん幹細胞」という幹細胞があることがわかった。実験室でｉＰＳ細胞を作成する際、がん細胞が生じることがあるが、これらもがん幹細胞なのだろう〉と」

――先ほども説明したように、がん幹細胞はありますよ。30年も前から指摘されていたし、最近も研究が進んでいます。だけどｉＰＳ細胞とは、別の話です。ｉＰＳ細胞は、無限に増殖をしたりはしない。いろんな組織や臓器に形を変えていく万能細胞です。だから、そもそも彼が言う〈がんもどき〉理論とは関係がないか未知の領域。最近の発見を取り入れて自説を補強したように見せたいのか、素人を煙に巻きたいのか。頭が悪い僕には意味が不明です。

近藤理論の検証⑩

〈がんもどき理論とｉＰＳ細胞理論は関係している！〉

長尾の回答↓×　そんなこと、今まで一度も触れてこなかったではないか。本当にそうならば、山中教授に言質を取ってから言ってください。

これって本当!?

小澤征爾さんは〈がんもどき〉だった!?

「……続けます。

〈食道がんは男性に多く、死亡率の高いがん。けれども、食道がんと診断された人が、みんな亡くなるわけではない〉」

——そもそも、この「けれども」の意味が僕にはよくわからない。そして「みんな亡くなるわけではない」と、どうしてそんなに当たり前の話を勿体つけて言うのだろう？　食道がんに限らず、すべてのがんはそうです。がん患者さんがすべてがんで死ぬわけではありません。日本人の2人に1人はがんになります。しかし、がんで死ぬのは3人に1人なのです。

「では、指揮者の小澤征爾さんの話を紹介させてください。

〈指揮者の小澤征爾さん。2009年年末に人間ドックで食道がんが見つかり、食道全摘手術を受けたが、2013年の夏には、本格復帰を果たす。つまり、「本物のがん」ではなく、がんもどきだったのだろうと思う〉」

——ということは、小澤征爾さんは、桑田佳祐さんと同様に完全に無駄な手術を受けたということで損害賠償請求したら勝てる、ということですよね。

「近藤医師が、小澤さんが〈がんもどき〉だったと推測する理由は二つです。一つ目は「年に1回受けている人間ドックで、粘膜の表面の浅いところに食道がんが見つかったが、自覚症状はまったくない」と語っていること。近藤医師曰く、〈自覚症状がなく検診で見つかった初期がんは、がんもどきのことが多い〉ので……」

——自覚症状がなくて検診で見つかったがんでも、かなり進行しているがんはいくらでもあります。僕は日々の診療や検診でそういう人を見つけては、命を助けてきましたが。

「二つ目の理由。〈がんと診断されて4年以上が経っているのに、転移がないこと〉」

――それはだから、手術がうまくいったんですよ。

「いえ、そうではないと近藤医師は仰っています。〈本物のがんであれば、手術しても、抗がん剤や放射線で治療しても、再発したり、転移したりして、やがて手の施しようがなくなる。一方、がんもどきの場合は放っておいても転移しない。だから、がんもどきがよほど大きくなって、その臓器の機能が妨げられたりしない限り治療する必要はない。よって小澤さんは、治療の必要はなかった〉」

――そして万が一、小澤さんががんで亡くなったら、「本物のがんだった」、勘三郎さんと同様に、「無駄な手術をした」という論説になっていたのかな？　結果が悪ければ「ほら見たことか。本物のがんだったんだ。だから手術や抗がん剤はしないほうがよかった」となるわけですよ。

「こうも仰っています。
〈がんで肺が機能しなくなれば、呼吸ができなくなって死ぬ。肝臓が機能しなくなれば、さまざまな物質を解毒できなくなって死ぬ。がん細胞自体が毒素を出したりするわけではない〉と。がん細胞には、毒素はない？」

——何だか世紀末的な論説やね。何が言いたいのかよくわからないが、そんなことはない。「がん悪液質《あくえきしつ》」というものがあるのです。これは、がんの進行に伴って、免疫や代謝や内分泌の異常を誘発して、がんの急速な増大・転移を引き起こし、死に至らしめる状態です。同時に身体的、精神的な衰弱も引き起こす。「サイトカイン」という免疫系の情報伝達物質が関係していると言われています。本来は免疫を強化するための情報伝達をする役割であるサイトカインが、がんになると、がん細胞に反応をして、逆の役割を果たしてしまうのです。こうしてがんに寝返った「炎症性サイトカイン」が、がん悪液質を誘発するのです。

「今の説でいけば、がんは発生したときに転移するかどうかは決まっていない、ということの裏付けになりますね？　では、その炎症性サイトカインの発生を抑えて、がん悪液質を引き起こさないようにすることが、がんの進行を防ぐ治療に繋がるのでは？」

——そうなんです。しかしまだ、この分野は解明できていないことだらけです。転移するものと転移しないものの二元論に分けられるほど、簡単な話ではありません。将来的にはある程度分けることができる可能性はありますが。

「だけど近藤誠先生はこうも言っています。

〈小澤征爾さんは手術後、「15kg瘦せた。1日に食事を4～5回とって体力回復に励んでいる」と、言うような状態に。肺炎を何度も発症し、公演への復帰と降板を繰り返し、ついに2012年3月から1年間指揮活動を休止する。体力を使う仕事はできない状態になってしまった〉と」

——訴えなあかんねえ、その病院とか医者をね。だって、そうでしょう？〈がんもどき〉なのに手術を受けて、体重も15kgも落ちて、コンサートもたくさんキャンセルしないとならなかった。もし近藤誠説が正しいのであれば、医療過誤や損害賠償で10億円ぐらい病院から貰えるはずです。で、近藤氏が証人台に立てばいい。世紀のがん訴訟裁判が日本中で繰り広げられるはずです。

「……続けさせてください。〈しかし、運良く大事には至らず、本格復帰ができた。本当に運が良かった〉。先生、小澤さんは運が良かったのです！」

――そうか、結局は「運」だったのか！（笑）でもよくそんな理論を、あなたも真に受けているね。それって、「神風が吹いた」と言っているレベルだよ。あなた、本当に大丈夫？

「こうも書かれています。〈小澤さんと同様に、桑田佳祐さんも運が良かった〉」。

――何だかもう頭が痛くなってきた。けれども〈がんもどき〉理論から見たら、結局、運が悪かったんじゃないのか？　だって、放っておいても悪くならない〈がんもどき〉なのに、無駄な手術されちゃったならさ、今までの近藤氏の理屈から行ったら、がんじゃないのに手術されたのだから、「運が悪い」と言うべき。

「うーん、だから、不幸中の幸い？　なのかな。

〈桑田さんは2010年7月に食道がんが見つかり、食道全摘術を受け8月下旬に退院。この年の大晦日に、紅白歌合戦に出演というサプライズで、復帰を果たし――〉」

――一つだけわかりました。近藤氏は、最新のがん医療事情よりも、芸能界の事情についてのほうが詳しいね（笑）。

「違います！　読者に〈がんもどき〉理論をわかりやすく解説するために、一生懸命調べられているんですよ。桑田佳祐さんに関しては、こうも述べられていますす。

〈桑田さんは、ご家族をがんで亡くしているため、年に2回のがん検診を受けていた。そのような人にがんが発見されたとき、「治療せずに放置する」ことを選択するのはとても困難〉」

――あなた今、桑田さんは〈がんもどき〉だと本気で思っている？　本当に？　本当？

「……ごめんなさい、正直よくわからなくなってきました。大変な苦労をされて、がんと闘ってきた方に対し、〈がんもどき〉だった、あなたの受けた手術は無駄だったと評価すること自体が、大変に失礼な行為のような気がしてきました」

――良かった。少しはまっとうな感覚も持っていたんだねえ。

「正直、近藤医師がどういうお気持ちで、今を頑張っている人に向かってこういう評価を下すのか、不思議です。でも、こうも書いているのです。

〈小澤さんや桑田さんは生還できたから良かったが、がんもどきだったのに手術のせいで死んでしまったりしたら、泣くに泣けない。食道全摘術のような危険な手術は、する意味がないどころか命の危険があるのだから、すぐに廃止すべき。

食道全摘術は戦後、麻酔技術が向上して、どんどん行われるようになった。しかし当初はどの施設でも、手術を受けた人の9割以上が1カ月以内に亡くなるという、酷い状況〉。

9割以上が1カ月以内に亡くなるって、一体どういうことですか⁉」

——あのねえ、それも大昔のことですよ、逸見さんの件よりもずっと昔のことです。30年以上前の話ですよ。まあ医学の進歩とは、裏を返せばこうした犠牲のうえに成り立っているとも言えますが。いずれにせよ、結局この人は、『患者よ、がんと闘うな』から時間が止まってしまった。芸能界のことや、表面的なアップデートはしているが、言いたいことはあの本から何も変わっていないのです。

近藤理論の検証⑪
〈小澤征爾さんも、桑田佳祐さんも、がんもどきだったのに不要な手術を受けた。生還できて運が良かった〉
長尾の答え↓×　絶句。結局は運命論者ですか⁉

第二章 「私は、手術も抗がん剤もしたくありません。
　　　　近藤誠さんの本を読んだからです。間違っていますか？」

これって本当!?

近藤誠氏のがん研究は、川口浩探検隊か!?

「がん幹細胞と〈がんもどき〉理論は本当に無関係なのですか？　近藤医師はこう仰っています。

〈胃がん、肺がん、食道がん等の「固形がん」には、数十億から数百億個のがん細胞が含まれていて、それらはすべて一個のがん幹細胞に由来している。他臓器への転移病巣も、その起源はがん幹細胞にあり、これらすべてが、がん幹細胞の性質を受け継いでいる。がん幹細胞に転移能力がなければ、転移は生じない〉」

——「がん幹細胞」に、転移する能力があるか否かは現時点ではまだよくわかっていません。たとえばｔＭＫという本物のがんのマーカーになるかもしれない有力候補が論文発表されていますが、まだ実用化には至っていません。もしｔＭＫによる識別が本当に可能になれば、〈がんもどき〉理論は、トンデモ仮説から大発見に格上げになる可能性はあります。

「そうなんですか。でも、そんなこと、近藤医師の著書のなかでは触れていないようですが」

——現時点では、なんとも言えない話です。いろんな可能性がある。でも早期から転移能力の有無を１００％の精度で識別できる方法が一般化できたら、それこそノーベル医学賞候補だろうね。そうそう、昔、『川口浩探検隊』っていう人気のテレビ番組シリーズがあったの、知っている？

「はい、子どもの頃、好きでよく見ていました」

——川口浩って、探検のたびにジャングルで新種のヘビやカエルや、はたまた未開の地に首狩り族みたいな新しい民族を見つけるという大発見を遂げるんだよ。

「ありましたね、嘉門達夫さんに川口浩をギャグにしたそんな歌が」

——そうそう、世紀の大発見をしても決して学会には発表しない川口浩はおくゆかしいって揶揄をしていたね。近藤氏も、iPS細胞理論で「がんもどき」が解明されるなら、山中教授のようにしかるべき論文や医学会で堂々と発表すればいいのに。皮肉じゃなく真実ですよ。彼がおくゆかしい学者かどうかはさておき、運命論者ではあるようです。がん幹細胞というのが最初にできたときに、転移能力があるかないか決まっていると。これは僕の憶測でしかないけれど、がん幹細胞ができた時点で転移の有無は決まっているとは言えないと思います。がん幹細胞ができると、どんどん細胞がコピーを繰り返し、増殖していきます。その増殖段階で、性質が変化して、転移する能力を持った細胞が現れるのではないかと。それならば、コピーを繰り返す前に、治療でやっつけたほうが、当然、転移のリスクは減るのではないか。

「なるほど。また、これは補足ですが、さっきもお話ししたように近藤医師はご自身が放射線科出身だったこともあり、放射線治療についてはあまり否定をされてきませんでした。手術、抗がん剤治療よりも放射線治療が下に見られている日本の医療の現状に、常に怒りを感じられています」

――たしかに日本は、他の先進国と比べて、放射線治療のウェイトが少ない。これは日本のがん医療の大きな課題です。

「こうも仰っています。〈しかし現在は、放射線も危険がいっぱい〉と。その理由は、〈抗がん剤を併用する化学放射線療法が流行っているから〉です。これだと、半年以内に死亡する可能性が7％前後になると」

――化学放射線療法が標準治療になっているがんが数種あります。肺がん、食道がん、頭頸部腫瘍、直腸がんなどは、抗がん剤と放射線と併用したほうが効果的というデータがあるからであって、「流行っているから」というのはおかしい。効果も高いですが、その分、ダメージが強く出る場合も多くある。だから化学放射線療法は、比較的元気な患者さんにしか適用されません。それを「危険がいっぱい」という表現を使うのは、どうかと思います。

ちょっと一息

町医者だから知っている、がん患者さんの現実…

～患者さん本人不在で治療方針を話し合う大病院がまだ存在する～

先日、医療関係者に向けて、「抗がん剤のやめどき」について講演しました。その後、質疑応答のなかで、ある看護師さんから質問が出ました。

「うちの病院では、がんの治療については〈キャンサーボード〉という多職種の話し合いの場があり、そこで治療方針を決めます。しかし、そろそろ抗がん剤をやめた方がいいと思っても言えません」と。

僕は質問を投げ返しました。

「そもそも、なぜ、そこに患者さんがいないのですか？」と。

「いや、抗がん剤の専門医、がん専門の外科医、がん専門の放射線科医、がん専門の看護師、がん専門の薬剤師などが話し合って決めるのです」

「ちょっと待ってください。患者さんの希望はどうなるのですか？」

「だから各専門家がちゃんと話し合って決めるのですが……」

「おかしいですね。患者中心の医療って言葉があるじゃないですか？　在宅でもケア会議があって、患者さんを中心に療養方針について本人の希望を尊重しながら、決めていくのですがね……」

「だから、〈キャンサーボード〉では、がんの専門家が集まって……」

「いや、だからたった今、講演したばかりでしょう？　抗がん剤の〝やめどき〟は、あくまでも患者さんが自己決定するものであり、医療スタッフはその意志を尊重して寄り添うべきだと」

「でも、患者さんが入らないのが〈キャンサーボード〉というもので……」

「そんなもどかしいことをしているから、亡くなる直前まで抗がん剤を打ったり、高カロリー輸液をして管だらけにして溺れ死にさせるのですよ。専門家が何人集まろうと、その中心は患者さんでなければダメなのです。〈キャンサーボード〉だか、なんだか知らないけど、勝手に決めたらダメですよ。そんなことしているから、がん放置療法の本がバンバン売れるんだよ。それを買う患者さんの気持ちを理解しようともしない！」

多くのがん専門病院では、いまだに、患者不在のがん医療が行われています。そして家に帰って、たった2～3日で亡くなることが時々ある。ひどいケースでは、家に帰って、私が初めて伺うまでに、亡くなってしまうこともある。そんな話を延々とした直後でも上記のような質問が出るのが、がん専門病院です。治療だけを考え、命には終わりがあることがすっかり抜け落ちているのです。結局のところ、自力で〝脱出〟してきた患者さんだけが、満足のいく最期の時間を過ごせるのです。

〈がんもどき仮説〉や〈がん放置療法〉は間違っているぞ！　と陰で怒る前に、こうした医療者の皆さんは、自分たちの病院で患者さんの意思決定が尊重できているのかを考えてほしい。しかし、そんな講演をいくらしても、なかなか伝わらないのが、がん専門病院とも言えます。

しかし、帰りがけに一人の医師が近づいてきて、こう言ってくれました。

「長尾先生、私はがん拠点病院で働く医者ですが、〈キャンサーボード〉に患者さんがいないことがおかしいことに今、気づきました。まさに目からウロコの話でした」。こうした反応があれば、私は大満足です。

それにしても、抗がん剤治療を受けている読者の皆さんは、この話をどう思われますか？　抗がん剤は、良い／悪い、ではないのです。かなりの延命効果のある抗がん剤が登場して、しかも遺伝子検査で事前予測もできますが、最期まで延命治療たり得ないのが、抗がん剤です。延命と縮命の分水嶺があるのです。その分水嶺を、本人不在の〈キャンサーボード〉とやらに任せていては、抗がん剤で死にます。この〝やめどき〟は、本人が感じるもの。それをそのまま正直に、主治医などの病院のスタッフに伝え、相談してみてください。

私のなかだけでのここ数年の流行語大賞は、**「いつやめるの?」「今かな?」**なのです。この「?」、クエスチョンマークが実は大切なのです。

これって本当⁉

「がんを忘れるのが一番」って無責任じゃないか⁉

――結局さ、近藤氏は「やめたほうがいい」と言っているだけで、こうするのが一番だ、という光を読者に本当に指し示すことができているのかな？　「放置しておけ」が読者の光になるのかどうか？

「それに関しては、たとえば食道がんに関して、こんなことを仰っています。〈長生きし、ＱＯＬを保つなら、手術も放射線も抗がん剤も受けず、がんと診断された事実を忘れるのが一番〉（『がん放置療法のすすめ』）と」。

――そのようなことを言う場面はどんな医者でもあります。しかし、がん患者さんを目の前にして「忘れるのが一番です」と言えるのが本当に素晴らしい医療なのかなあ？　逆に、そう書いてあるからといって、あなたは自分のがんを忘れられますか？

「……いいえ」

――悪い冗談にしか聞こえない。「恋をしても失恋するから、恋はするな」「失恋したら忘れるのが一番」。恋愛コラムニストならば、それでいいかもしれないが。

「……続けます。

〈忘れるのが一番。理由は、初期のがんであっても、他臓器に転移していれば、どう治療しても治らないから〉だそうです。〈他方、転移がなければ、食道がんといってもオデキのようなものだから〉だそうです」

――忘れろ、と言っている理由も結局〈がんもどき〉理論ですか。

「なんだか、笑ってしまいますね。こうして先生と検証してみると、おかしな部分がいくらでも見えてくるのに、一人で読書をしているときは、近藤誠理論のすべてがもっともらしく感じていたなんて」

――それが素人というものでしょう。ところであなた、それでもまだ、放置療法を選ぶのですか？　放置療法をしたら、がんは忘れられるのかい？

「どうしましょう。手術をやって、抗がん剤治療を試しに受けてみて……その後に放置でもいいのでしょうか」

――そうです。いろんな治療の〝やめどき〟が大切なのです。やる、やなないではなく、〝やめどき〟です。〝やめどき〟は自分で決めるしかない。主治医も、誰も決めてくれません。是非とも、渡邊こずえさんの、抗がん剤の〝やめどき〟を見習ってください。そして、言論活動の〝やめどき〟を一番間違えたのは近藤氏さんかもしれないですね。

「でも、治療の前にやりたいことが出てきました」

――何をなさるのですか？

「今日、長尾先生に伺った話を原稿にまとめて、出版社に持っていきます」

――えっ？

「どうせもう近藤医師の敵対者だと思われているから、いいじゃないですか」

――敵対者って？

「ご存じなかったんですか？　近藤誠とネット検索すると、ウィキペディアにそう出ていますよ。敵対者＝長尾和宏って」

――ほんま？　僕は別に敵対者じゃないのに。それ、消せないの（笑）？

がん医療に対する考えの相違点

	近藤誠	長尾和宏	医療界全般
がんもどき理論	がんもどきと本物のがんの2種類しかない	中間がいくらでも変化する場合もある	がんもどきという言葉は存在しない
早期がん	無い	有る	有る
早期発見・早期治療	無い	有効	有効
がん放置療法	固形がん治療の否定	高齢者やがん種によっては、がんは治療すべき、治療しないという選択がある	
従来の抗がん剤	全否定	消極的	容認
分子標的薬	全否定	有望なものが出て来た	高い奏功率
抗がん剤のやめどき	全否定なので無い	やる、やらないではなく〝やめどき〟が重要	そのような概念はない
免疫療法	否定	経験的に勧められない	一定の見解なし
緩和医療	終末期に限定	がんと診断されたときからはじまる	理想と現実の解離

余命告知	医師の脅迫	余命はわからないしない場合もある	するべきだし、大切
リビングウィル	重要	重要	？
近藤誠本の世間的評価	菊池寛賞	間違いを指摘	ノーコメント
近藤誠現象	正当性主張	間違いを指摘	？（一部反論）
標準治療	全否定	一部に批判的	肯定的
亡くなった芸能人	がん医療に殺された	仕方がない	ノーコメント
助かった芸能人	それは〈がんもどき〉だった	早期発見が奏功した	？
放置して手遅れになった患者	言及せず	増えている	ノーコメント
製薬会社と医療界の癒着	お金の癒着強い	お金の癒着強い	ノーコメント

※著者作成

～本章のまとめ～

1　がんもどき（的なもの）も本物のがんも実際に存在するが、〝**どちらかしか存在しない**〟**という近藤誠氏の単純二元論は明らかに誤り**である。現実の多くのがんはその間にある。また、近藤氏の言うがんもどきのようなものが経過のなかで、本物のがんに変化することはいくらでもある。

2　早期胃がんは確かに存在する。**「早期発見、早期治療に意味はない」という近藤氏の主張は誤り**である。

3　**〈がんもどき理論〉に基づく〈がん放置療法〉は、極論である。**それを日本人全員に適応させようとすれば、国民を不幸にする。事実、近藤誠本を読み、極論を信じた結果、**犠牲者が出てきているので看過できない。**ただし、高齢者や要介護者などに見つかったがんは、その臓器や進行度によっては、放置したほうがいい場合がいくらでもあることは、すでに医療界の常識である。

4　極論本がいくら売れようが**論文で科学的根拠を示さなければ、学術界で認められることはない。**

5　時代は古典的抗がん剤の時代から分子標的薬に移行しつつある。さらに分子標的薬も**第二世代が登場している。驚くほど高い奏功率を誇る薬も登場**し、その恩恵に預かれる患者さんが増えつつある。

6　抗がん剤治療は臓器別から、**遺伝子検査に基づく遺伝子別の分子標的治療**に移行しつつある。また遠からず、がん幹細胞療法やまったく新しい機序の免疫療法などが臨床応用されるだろう。

7　それでもいつか抗腫瘍効果が低下する時期が来るので、あらゆる抗がん治療は、**〝やめどき〟が重要**である。つまり**延命と縮命の分水嶺を自分や家族が感じて、医師とよく相談**することが大切。医師の言いなりになったり〝やめどき〟を間違えたりすると、いくらいい治療でも後悔だけが残る。

8　**近藤誠氏の本が売れるのは、現在のがん医療への国民の不満を代弁しているから。**がん医療界は、こうした国民の声を無視せず、自己批判し真の意味での患者中心の医療に変容すべきである。たとえば25年も前から謳われている**「がんと診断された時からの緩和ケア」**を実現すべく努力すべきである。

9　出版界は、〝売らんかな主義〟に先行した極論本やトンデモ本の出版に対して、モラルハザードを持つべきである。一方、国民は極論本を鵜呑みにせず、情報リテラシーを持つ努力をし、医者のいいなりにならずに自己主張してほしい。**医療のいいとこ取りができる、賢い患者**を目指してほしい。

第三章

「放置していたら、今はない」

対談　長尾和宏 × 渡邊こずえ

――ステージⅣスキルス胃がん。胃の全摘。胆のう、脾臓の摘出。そしてリンパ節84個。そして抗がん剤治療を1年。おかげで私は、3年後もこんなに元気です。

最後に、前章のなかでも紹介した渡邊こずえさんと私の対談を掲載する。彼女は僕の患者さんではない。あるとき、私の講演会に来てくださり、声をかけてくれた。僕の著書『平穏死　10の条件』を読んでくださったのだ。そして治療の参考にしたという。

渡邊さんが手術を受けたのは2012年6月。そのタイミングで余命半年と言われている。この対談が行われたのは、2013年の秋。そして今、2015年の夏も彼女は元気に生きておられる。この事実を、皆さんはどう受け止められるだろうか？　ステージⅣのスキルス胃がんを放置していたら、間違いなく彼女の今はない。かといって、ずっと抗がん剤治療を受けていても、どうだったか。医者の言いなりにならず、もちろん医療否定本の言いなりにもならず、自分で考え、治療法を選択したから今がある。これ以上の「がん患者学」があるだろうか。彼女の言葉と行動から、僕も多くのヒントをいただき感謝している。

体重が3カ月で10キロも落ちて…最初はラッキー！ と思っていた

長尾 抗がん剤治療を受けていた患者さんとして生の声をお聞かせいただきたいと思います。最初はどういう症状があったのでしょうか。

渡邊 私、もともと体格が良くて、体重が68kgあったんです。それが、2012年2月から体重が落ち始めました。3カ月で10kgも落ちて、当初は仕事のストレスかな、ラッキー！ と思っていたのですが、「あれ？ 胃が痛いぞ」と思い始めて。でも、食欲は旺盛だし、吐いたりすることもありませんでした。

長尾 そこでお医者さんには診てもらわなかったの？

渡邊 最初は胃潰瘍だと思っていたんです。今まで何度も胃潰瘍になっていたから。でも、体重が55kgを切ったあたりから、背中が痛くなってきて…。ある日、激痛が走って、とうとう胃カメラをやることに。そして胃カメラの検査中に、先生の顔色が急に変わったんです。私も一緒に画像を見ていて、真っ黒な部分が見えたので、ああ、これは…と。「先生、私、がんですね？」と訊いたんだけど、「えーと、えーと、胃が縮んで堅くなっているね」とその場ではお茶を濁されました。

長尾 スキルス胃がんというのは、胃の粘膜の下をがんが這うタイプなんです。普通は塊を形成するんですが、粘膜の下を這って突き抜けて外へ出たりして、胃がんの中でも一番タチが悪い特殊ながん。芸能人でいうと、堀江しのぶさんとか逸見政孝さんがそうでしたね。

渡邊 それで検査結果が出て「一刻も早く手術しないといけない。全摘は免れません」と言われました。「スキルスですよね？」と訊いたら、「多分そうでしょう」と。

長尾 スキルス胃がんの場合は、開腹しても手術が不可能、あるいは転移が見つかって手術する意味がないからと、すぐに閉じる場合もある。治験開腹と言って、それに終わることがほとんどです。だけど、渡邊さんの場合は、どうせお腹を開けるなら何がなんでも取ってくれと希望されたとか。

どうせお腹を開けるなら、どうかそのまま閉じないでと医師に懇願

渡邊　はい。もともと私は、看護師ではないのですが、医療に興味があり、大病院の手術現場でアシスタントの仕事をしていたこともあり、そうしたがんの現場もいっぱい見ていたのです。なかには、お腹を開けて、もう手の施しようがないからと、そのまま閉じてしまうケースもありました。だけど私は、それじゃあ勿体ないな。どうせ先が無いのなら、取るだけ取ってみてほしいと思ったのです。

長尾　よく医師側も渡邊さんの願いを聞いてくれましたね。病院によっては、そうした希望を叶えてくれないはずですよ。

渡邊　そうですね。がんを発見してくれた病院の先生に、そこで大きな病院に紹介状を書いてもらいました。もう一度胃カメラをやって、ステージとしてはⅡBか、ⅢAくらいじゃないかと言われました。

長尾　ステージとは病気の進行度です。手術してみないと最終的にはわからないからね。エコーやCTもやって、肝臓に転移はなかった？

渡邊　はい、なかったです。CT画像上では腹膜播種《ふくまくはしゅ》もなかったんです。患部が胃の上部だったので、全摘するしかないけれど、胃さえ取ってしまえばもう大丈夫みたいな言い方をされました。それで今度は外科へ行って、外科の先生ももう手術しかないと。2週間後の6月初めに手術となりました。

長尾　手術後にステージは変更しましたか？

渡邊　ステージⅣになりました。がんは、胃の壁を突っ切って、外に出ていた。浸潤していましたね。

長尾　それを腹膜播種と言います。すると自動的にステージⅣになります。このように、がんの進行は、お腹を開いてみないとわからないところがある。術前のCTスキャンでも、そこは見えないから。

渡邊　術後の検査結果で「残念だけど、ステージⅣでスキルス胃がんです」と言われました。

長尾　胃がんには組織型というのがあって、高分化型、中分化型、低分化型とあるなかで、あなたは低分化型の腺がんだった。スキルス胃がんはなかでも

渡邊 一番タチが悪いと言われています。ステージは、術前はⅡかⅢと言われていたのが、手術してみたら外へ飛び出していて、一番進んだⅣだと。そして手術後、ステージⅣと言われると同時に、「余命半年です」と言われたのです。

長尾 抗がん剤治療はいつからスタートしたのですか？

渡邊 手術して1カ月で、すぐ抗がん剤治療となりました。でもその頃、ダンピング症候群っていうのがあって…。

長尾 胃を全摘しているから、食べた物が直接小腸に入り込みます。それで、小腸がびっくりしてしまい、消化管ホルモンがたくさん分泌されるようになる。すると冷や汗が出たり、気分が悪くなったりするんです。胃を全摘した人はほとんどそうなりますね。

渡邊 そうなんです、吐いたり、下痢したり、つっかえたりして食べられなくて、体重は手術後、あっという間に48kgまで落ちました。最初にくらべて20kgも落ちたので、本来なら、体力を奪う抗がん剤治療はやめた方がいいんじゃないか？ と考えますよね。でも私は、抗がん剤をやろうと思ったんです。

「どうせ先がないのなら、とことんやりたい」という考え方

長尾 僕ならやめるなあ、その状態での抗がん剤治療は…。胃の全摘及び、胆のう、脾臓の摘出。そしてリンパ節84個も取られて。これはものすごく大変な手術です。そしてその1カ月後から、抗がん剤治療。抗がん剤治療は、たいてい術後2週間後〜1カ月以内に始まります。なぜかといえば、戦争と一緒で、相手の兵力が弱まっているときに攻撃してさらに叩こうというのが医学の考え。しかし、戦場は自分の身体のなかにある。渡邊さんのように、術前から体重が3カ月で10kgも落ちている人には、相当な打撃が予測されます。渡邊さんの場合、担当医から「抗がん剤はやめておきますか?」というお話は最初にありませんでしたか?

渡邊 いいえ、私から「やります」って言ったんです。手術でとことん内臓を取り、もはや余命半年という宣告も受けていて、ならば、とことんやってもらお

うじゃないか、みたいな（笑）

長尾　渡邊さんのような考え方の患者さんは、珍しいかもしれない。

渡邊　そうですね（笑）。最初から、TS－1とシスプラチンいう抗がん剤を同時に使いました。

長尾　それは、胃がんの場合は標準的な抗がん剤治療。TS－1は経口薬（飲み薬）。一方、シスプラチンというのは、白金（プラチナ）から製造された点滴の薬。30年以上前からある古いお薬だけど、未だ抗がん剤の代表選手と言ってもいい。TS－1は今までの抗がん剤治療に比べたら、副作用が少ないことで知られています。それでも、脱力感や味覚障害、口内炎、下痢、吐き気などを訴えられる方が多い。そして、シスプラチンの副作用はもっとキツい。

渡邊　はい、シスプラチンは副作用のキツい抗がん剤の代表選手です。

長尾　髪の毛が抜けたり、吐き気や、腎臓の機能低下があったり。腎臓を弱らせないために、たくさんお水を摂らないといけません。あと、骨髄にも支障が出ることで知られています。

渡邊　私の場合、TS－1の副作用としては、下痢に苦しめられました。少し食べるとそのまま出てしまう。酷いときは1時間に1回とか。だけど、TS－1を飲むためには、無理にでも食事を摂らなくてはならなくて。吐き気に関しては、制吐剤という吐気止めのための薬を同時に入れるので、私の場合、それほどキツくはなかったですが。後は、発疹も酷かったですね。シスプラチンの副作用で骨も脆くなりました。身体を触っていて感じるほどです。骨折にだけはなるまいと気を付けています。

長尾　抗がん剤の副作用は、人によって現れ方がさまざま。そこで上手に大病院と町医者の二股をかけてほしいと思います。ちょっとでもしんどいと思えば、近くのクリニックにこまめに相談を。

渡邊　私も二股、かけました。

長尾　ところで、渡邊さんは、何コースまで抗がん剤治療を続けたのですか？補足しますと、抗がん剤治療は、一回の治療を「コース」や「クール」と呼びます。TS－1の1コースは、3週間。そして2週間の休薬。これで1コース。そしてTS－1投薬の8日目にシスプラチンの点滴を入れます。

渡邊　はい。最初は、4コース行ってみましょうかと担当医から言われました。

それでも「抗がん剤のやめどき」を間違えなかった！

長尾　なぜ担当医は、はじめから4コースと断定をしたのかな？

渡邊　余命半年だったから、4コースくらいでピッタリ半年でしょう（笑）。

長尾　考え方が面白いなあ（笑）。あなたは本当に明るい人ですね。

渡邊　それで、4コース終わったところで、でも私は生きていました（笑）主治医は、「あれ？　まだ大丈夫そうだね。もう少しやってみる？」と。でも、第3コース目くらいに病院内で倒れたり、尿が出なくなったりと、副作用が酷く出てきました。

長尾　治療を続けるほど、抗がん剤の毒性が体内に溜まっていく。これを、畜毒《ちくどく》といいます。だから副作用はどんどん酷くなっていくのです。「やめどき」を考えるべきなのです。

渡邊　そして、最後の第8コースだけ「シスプラチンはやめたい」と先生に申し出て、TS－1を単体で飲みました。結局1年間、抗がん剤治療を続けたわけです。

長尾 余命半年と言われて、しかし、抗がん剤治療を1年間あまり続けたんですね。そして、やめる決意をされた。今の渡邊さんは奇跡的な状態とも言える。そして、「抗がん剤のやめどき」をご自身で見極めたとも言える。

渡邊 はい。自分でもそう思います。本当はキリのいいところで10コースまでやりたかった。でも下痢が酷くて、食べた物がそのまま出ちゃうのが耐えられなくなった。それに、うつ状態になりました。

長尾 がんの専門医は見落としがちですが、副作用が続くと、うつ状態になる人は多い。うつ状態になったときは、抗がん剤の「やめどき」や、と僕は思っています。8コースまで抗がん剤治療を受けられて、やめられた。抗がん剤をやめられてから、体調に変化はありましたか。

渡邊 はい。元気になりました。まず、食欲が戻ったのです。一番悩まされていた下痢の症状も良くなりました。

長尾 先日一緒に喫茶店で打ち合わせをしたときも、ふつうにナポリタンを完食されていましたね。

渡邊　そうです。胃を全摘しても、普通のものが食べられるようになります。脂こってりの博多ラーメンだって食べられますよ。「全摘したら、好きな物も食べられなくなる」というのは、真実ではありません。

長尾　そして渡邊さんがとてもラッキーなのは、腸閉塞の症状が一度もないこと。腹膜播種になると、腸閉塞が起こりやすい。ずっと下痢状態が続いているということで、その難を逃れているのかもしれないですね。

渡邊　2カ月くらい前まで、抗がん剤投与中は、1日20時間は横になり、残りの4時間はトイレにこもるという日もあったので、長尾先生が仰るように、私は「やめどき」をちゃんと見極められたのかな、と思っています。

長尾　では、抗がん剤治療をしたことに対しては、後悔はありますか？

渡邊　ありません！　手術をしたことにも、抗がん剤治療をしたことにもまったく後悔していません。最初から放置をしないで、治療をしたから今があると思っています。

長尾　どうしてそう思えたのですか？

渡邊　私はそもそも、手術が終わった時点で、余命半年という告知を受けました。もともと医療に関しての好奇心もありましたから、自分の身体で試せるものは、何でも試そうという気持ちが強くありました。もしも、最初から抗がん剤治療を受けていなかったら、今ここにはいなかったかもしれない。

長尾 そうですね。こうして皆さんの前で対談することもなかったかもしれない。

渡邊 とにかく、試せるものは試してみて、「つらくなったらいつでもやめよう」という気持ちもあったので。おかげさまで、副作用がつらいときにサポートしてくれる、長尾先生のようなクリニックのお医者様も相談にのってくれました。抗がん剤が効く、効かないに個人差があるのは知っています。でも私は、今こうして笑っていられるのは抗がん剤治療のおかげだと思っています。

長尾 抗がん剤治療は、延命治療なのです。延命治療とはつまり、一定の時期までは命を延ばすけれど、いつか終わりがくるもの。つまり、あるタイミングからは無駄に患者さんの体力を奪う、縮命治療になり得ることがある。その延命と縮命の言わば分水嶺というのは、個人によって大きく違うのです。だからこそ、「自己決定」をする力が大切。こちらが「やめます」と言わないと、ベストな時期にストップできません。病院から「もう抗がん剤はできません」と言われたときは、すでに体力も奪われ、QOLが相当に落ちているときなのです。

渡邊 そう思います。だけど私がここまで自己決定ができるようになったのは、長尾先生の本『「平穏死」10の条件』を治療中に読んでいたからです。いくら延命治療の拒否を望んだとしても、そのタイミングを逸してしまえば、「生」の総決算はできなくなる。

長尾 「生」の総決算ですか。良い言葉ですね。そしてそのタイミングは、人によって違う。だから僕は、抗がん剤治療において10の「やめどき」を提案した。やる、やらないではない。渡邊さんのような奇跡が起きることもあるのだから、やったほうがいい。だけど「やめどき」があるのです。どこでやめるのか？　は、身体の状態や検査の数値だけで判断するものではなく、ご自身の生き方や抱えているお仕事、家族とのかかわり方などすべてを鑑みて決めるべきなのです。そして、その相談にのり、長期間の闘いを全力でサポートし、患者さんの心の揺れに付き合うのが私の仕事だと考えています。患者さんの治療に対する考えは、朝令暮改でいいのです。

渡邊 私は『抗がん剤10の「やめどき」』を読んで涙が止まりませんでした。夫にも読ませました。夫もしばらく泣いていました。小説仕立てなのですが、夫患者側のリアルな心理描写が多くて、たくさん共感したのです。がん治療を続けるのは何のためか？　どこまで副作用を受け入れるのか？　を家族で話し合うためにも大きな助けになる本だと思っています。

長尾

余命半年の宣告を受けたとは思えないあなたの言葉に、多くの人が救われるはずです。そして、自身で治療方法を選択し、生きることを諦めなかったあなたの勇気に、あらためて拍手を贈りたいと思います。本当にありがとう。生きていてくれて、ありがとう。

（２０１３年9月29日　長尾和宏『抗がん剤 10の「やめどき」』出版記念イベントにて）

尚、2015年7月現在、渡邊さんは抗がん剤治療を受けておらず、元気に生活されている。つまり、ステージⅣのスキルス胃がんと診断されて4年目を生きておられる。胃の全摘と1年間の抗がん剤治療という医療の恩恵に預かれた一人である。もし診断時に近藤誠理論に従っていたならば、間違いなく現在の彼女は無かっただろう。

エピローグ――中庸《ちゅうよう》を生きる、ということ

僕は、近藤誠氏の悪口を言いたいわけではない。間違った情報を鵜呑みにして後悔する患者さんを増やさないために、本書を書いたまでだ。そして同時に、がん治療に日々迷っていたり、悩んでいたりする人すべてにこの本を届けたいと思う。

大病院の主治医に訊けない悩みというのは、実はたくさんある。あまりにも専門化しすぎたため、また、数時間待たされた挙句、たった数分しか時間を取ってもらえなくて、「こんなことを訊いたら嫌われるんじゃないか」と患者さんの多くは萎縮している。先にも書いたように、「患者は黙って医師の言葉に従っていればいい」というようなパターナリズム的な空気に萎縮する場合もある。逆に、医療者側も、個別の患者さんの状態を診るよりも前に、「標準治療を勧めないとあとから訴えられるかもしれない」と、訴訟の不安に萎縮している場合もある。

そのぶん、在宅医であり、町医者として老若男女、多種多様ながん患者さんを診ている僕のところに、がん治療に関するあらゆる悩みや疑問がぶつけられる。ガリガリに痩せて、

あきらかに終末期に入っている人が、「抗がん剤治療を続けるべきかどうか。やめると死ぬよと主治医に脅された」と悩んでいる。そんな患者さんには、ときには1時間以上かけて、抗がん剤治療には延命と縮命の分水嶺があることを説明する。

また、本書で登場した女性記者のように、「近藤誠氏の本を読んだからもうがん治療はやりたくない。私の家族はがんではなく、がん治療に殺されたのではないか」という相談を受けることもしばしばある。まだ治る可能性が十分あるにもかかわらずだ。そのときには、近藤誠理論のどこに誤りがあるかを懇切丁寧にお話しさせていただく。それが僕の役割であり、また、僕に多くのことを教えてくださり、育ててくださった過去のがん患者さん達への恩返しでもあると思う。

ここまで読んでくださった方のなかには、長尾は一体、どっちの味方やねん⁉　と思われる方もいるに違いない。特に、医療者の方が読んだのであるならば。はっきり言おう。僕は、どっちの味方でもない。悩める患者さん側に立ちたいだけだ。あくまで現場の視点から患者さんに勧めるべきこと、勧められないことをつぶさに検証していくしかない。

物事を良い／悪いの二元論に落とし込むのは簡単である。二元論で物事を考えれば、深く悩まずに済むから楽になる。だけど、本当に選ぶべき道は、二元論ではなくて、中庸にある。僕はずっと中庸論を言い続けてきた。極論ばかりがまかり通る世の中で、中庸論は目立たないけど、真実はそこにしかないから。

勘違いしている人も多いが、中庸とは「間をとる」とか、「五分五分でいく」という意味とは、実はちょっと違う。物事を判断する際に、どちらにも偏らない、ぶれない心の持ち方を示した言葉であると僕は思う。どちらにも偏らないためには、己の考えをしっかりと持たなければならないということでもある。

「中庸」の由来は、「論語」に出てくる孔子の言葉で、原文は「中庸の徳たる、其れ倒れるかな。民鮮きこと久し」とある。不足なく、また、余分もなく振る舞える中庸が人徳としては最高であるが、そのような人を見ることは久しくなくなった、というような意味だろうか。つまり孔子もまた、あの時代に「中庸を生きる人はめっきり少なくなった」と嘆いているのである。いわんや現代は……？　残念。

中庸でいこうと考えると、あらためて僕は、近藤誠氏と似ているなと思うところもある。それは、がん医療が患者さんを必要以上に苦しめている現状に対する怒りである。特に終末期におけるがん医療の在り方には強い憤りを感じて、「平穏死」と題した本を数冊上梓して世に問うてきた。

一方、近藤氏と決定的に違うと感じるのは、未来への展望だ。

がん医療をはじめとする科学技術の発達には、常に強い関心を持ちながら日々勉強をしている。30年以上、臨床で医者をしていると、日々の患者さんとの出会いのなかで、医療の進歩を実感することができる。20年前、10年前なら治らなかったような状態の人が確実に治ってきている。肺がんが全身の骨に転移し、余命2カ月と宣告された患者さんが、分子標的薬が著効して、結果的に8年間も元気で生きた。また、大腸がんが発見されたときにはすでにステージⅣで、肺と肝臓に転移のあった人が、切除手術を受けて、抗がん剤治療もしっかりと受け、治療後、13年が経過したのだが再発もなく、元気にゴルフを楽しんでおられる。先の対談で登場した、スキルス胃がんのステージⅣ余命半年と宣告された、渡邊こずえさんも然り。

このように、ステージや転移に関係なく、「闘う価値のあるがん」が実際に存在することを知ってほしいし、近い将来、さらに本当に希望のもてる分子標的薬が続々と登場することも皆さんにお知らせしておきたい。

たとえば、東京大学の間野博行教授らによるALK阻害薬（一般名クリゾチニブ、商品名ザーコリ）の登場である。肺がんの患者さんのうち、5％の人が、EML4－ALK融合遺伝子という変異遺伝子を持っていることが判明している。遺伝子検査で、この遺伝子が陽性の患者さん（がんを切除不能な進行・再発の非小細胞がんが対象）には、このALK阻害薬という第二世代ともいえる分子標的薬を投与すると、劇的に効く人がかなりの確率でいることがわかっている。

間野教授が2008年に最初にザーコリを投与したのは、28歳の肺がんの男性だった。ザーコリ投与前は、両肺に胸水が溜まっていて最大量の酸素を吸わないと座ることすらできなかった。食道周囲のリンパ節が腫れて、食道が圧迫され食事も摂れない状況だった。しかしザーコリ投与の2週間後に奇跡は起こった。酸素が不要になり、病院の周囲を散歩できたという。現在、ザーコリの奏効率は6割。ちなみにザーコリはたった4年間で創薬ができた（2007年に間野教授らが遺伝子の発見をNatureに発表、2011年8月に米国ファイザー社の薬が承認され、2012年3月に日本でも承認がおりた）。これは世界最速でできた分子標的薬でもある。そして2014年9月時点にて、世界で8種類ものALK阻害薬が臨床治験に入っている。なかでもアレセンサ（中外製薬）という薬は、奏効率が93・5％と、夢のような成績が発表されている。どうしてこのような劇的に効く抗がん剤が現れはじめたのか？　そのメカニズムも解明されつつある。がんは、いくつかの遺伝子異常が積み重なって起きるが、5個以上のがん遺伝子が集まって、協力し合い、はじめてがんが生じるものと、たった1〜2個だけの遺伝子でがんが生じるものがある。そして後者のタイプには、ALK阻害薬のような薬が、直接的な発がん分子を抑制することができるとわかってきたのだ。遺伝子医学の進歩が驚くべきスピードで確実にがんを抑圧しつつあることを、ちっぽけな町医者の僕でさえ肌で感じることができる時代に生きている。

また、HTLV－1というウィルスが原因で、発症すると2年以内にほぼ死に至るとされていた血液がんの一つ、成人T細胞白血病への分子標的薬も開発された。さらに1992年に同定されたPD－1（T細胞受容体）に対する抗体薬（一般名ニボルマブ、商品名オプジーボ）のように免疫チェックポイントに働く薬も注目を浴びている。特に悪性黒色腫の一部の患者さんに著しい効果をあげている。

こうしたまさに日進月歩の状況のなか、新しいお得情報を知らないと患者さんは確実に損をする。もちろん遺伝子検査というハードルが存在するが、そのハードルを乗り越えられる人が年々増えるはずだ。こうした時代の大きな変化に素知らぬふりをして、20年前から基本的にぶれていない「がんもどき」「がん放置療法」を繰り返し唱え続けることが、果たして本当に患者さんにとってメリットになるのだろうか——誰もがスマホで話している時代に、彼だけが頑固に黒電話を勧めているような違和感さえ覚える。近藤誠理論は、すでに一定の役割を果たしたのではないか。一定の役割とはつまり、日本のがん医療、いや、医療全体の歪みを、市民にも気づかせたことにある。

だから、我々医療者は、決して「近藤誠現象」から目を背けてはいけない。患者さんの叫び、家族の怨念を無視してはなるまい。「患者中心の医療」と言葉で言うのは容易い。しかし、それを本気で実践するためには、医学教育からの抜本的な改革が必要だ。

「近藤誠理論」という医療界への劇薬は、奇しくも「近藤誠現象」という副作用をもたらした。日本の医療の過剰な部分と足りない部分、そしてがんの終末期医療における大きな間違いが露呈されたのだ。だから、無視をするのではなく、前向きに受け止めて改革する勇気が、今こそ医療界に求められている。先のディオバン事件に象徴される医療界と製薬会社との癒着問題も、これを機に膿を出し切らねばならないだろう。

現在の医療界が、まさに末法の世にも思えてくる。

近藤誠氏にはある意味、とても感謝している。近藤誠氏の存在があったからこそ、僕にはがん医療の「明」と「暗」がはっきり見えてきた。多くの考察をもたらしてくれた、良き先輩であると思う。しかしもうそろそろ、僕も近藤誠理論の論評を卒業するときが来たようだ。

ありがとう、近藤誠先生。そして、さようなら、近藤誠理論。

本書を最後まで読んでくれた読者の皆様に、心から御礼を申し上げたい。そしてがんと闘っておられるすべての皆様に、「中庸を生きる」ための言葉として、僕の大好きな荘子から、一文紹介して終わりにしよう。

進不敢為前、退不敢為後——進んであえて前にならず、退きてあえて後にならず。

長尾和宏

町医者冥利に尽きるひととき

——患者さんやそのご家族との交流アルバムより

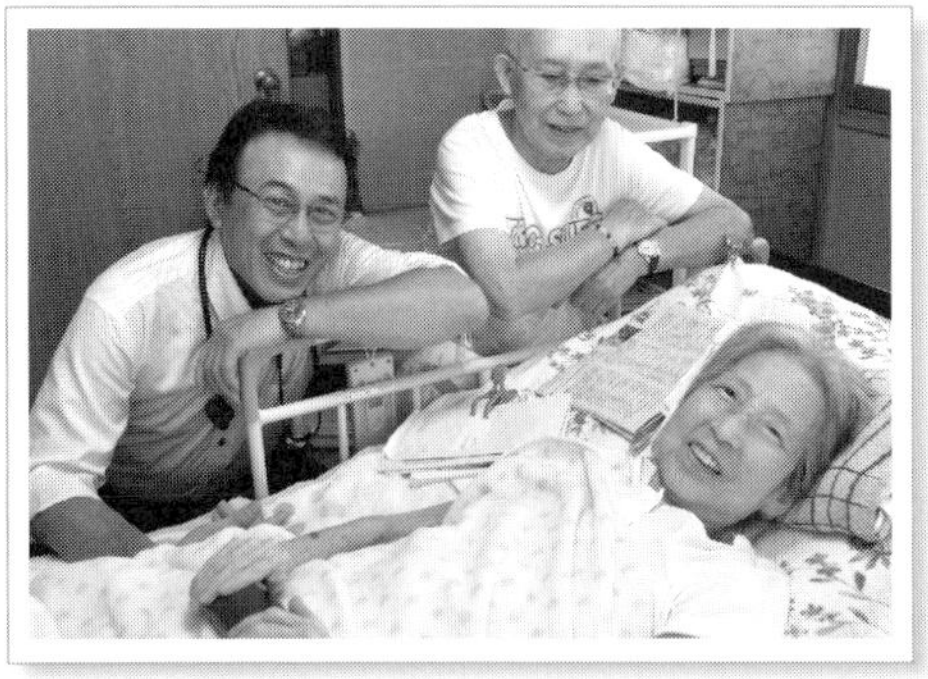

参考文献
「ハーメルンの笛吹き男」（BL 出版）グリム兄弟「ドイツ伝説集」より
「がん治療で殺されない七つの秘訣」（文春新書）近藤誠
「抗がん剤だけはやめなさい」（文春文庫）近藤誠
「『がんもどき』で早死にする人、『本物のがん』で長生きする人」（幻冬舎）近藤誠
「近藤先生、『がんは放置』で本当にいいんですか？」（光文社新書）近藤誠
「がんより怖いがん治療」（小学館）近藤誠
「近藤誠のリビングノート」（光文社）近藤誠
「文藝春秋（平成 26 年 1 月臨時増刊号）」

長尾先生、「近藤誠理論」のどこが間違っているのですか？
～絶対に後悔しないがん治療～

2015 年 7 月 30 日　　初版第一刷発行

著者　長尾和宏

カバー装丁　秋吉あきら（アキヨシアキラデザイン）
本文デザイン　谷敦（アーティザンカンパニー）
マンガ　岡本圭一郎／ブックスプラス
写真　国見祐治
協力　渡邊こずえ
編集　小宮亜里　黒澤麻子
編集協力　村山聡美

発行者　木谷仁哉
発行所　株式会社ブックマン社
〒 101-0065　千代田区西神田 3-3-5
TEL 03-3237-7777　FAX 03-5226-9599
http://bookman.co.jp

印刷・製本：凸版印刷株式会社
ISBN 978-4-89308-848-2